LE PEINTRE ABANDONNÉ

DU MÊME AUTEUR

RAMON, 2009, Grasset

Romans

L'ÉCORCE DES PIERRES, 1959, Grasset.
L'AUBE, 1962, Grasset. Nouvelle édition, 2003.
LETTRE À DORA, 1969, Grasset.
LES ENFANTS DE GOGOL, 1971, Grasset. Nouvelle édition, 2003.
PORPORINO OU LES MYSTÈRES DE NAPLES, 1974, Grasset et Le Livre de Poche ; rééd. « Les Cahiers rouges ».
L'ÉTOILE ROSE, 1978, Grasset et Le Livre de Poche ; rééd. « Les Cahiers rouges ».
UNE FLEUR DE JASMIN À L'OREILLE, 1980, Grasset.
SIGNOR GIOVANNI, 1981, Balland. Nouvelle édition, 2002 et Le Livre de Poche.
DANS LA MAIN DE L'ANGE, 1982, Grasset et Le Livre de Poche.
L'AMOUR, 1986, Grasset et Le Livre de Poche.
LA GLOIRE DU PARIA, 1987, Grasset et Le Livre de Poche.
L'ÉCOLE DU SUD, 1991, Grasset et Le Livre de Poche.
PORFIRIO ET CONSTANCE, 1992, Grasset et Le Livre de Poche.
LE DERNIER DES MÉDICIS, 1994, Grasset et Le Livre de Poche.
TRIBUNAL D'HONNEUR, 1996, Grasset et Le Livre de Poche.
NICOLAS, 2000, Grasset et Le Livre de Poche.
LA COURSE À L'ABÎME, 2003, Grasset et Le Livre de Poche.

Suite en fin de volume

DOMINIQUE FERNANDEZ
de l'Académie française

LE PEINTRE ABANDONNÉ

roman

BERNARD GRASSET
PARIS

ISBN : 978-2-246-81869-4

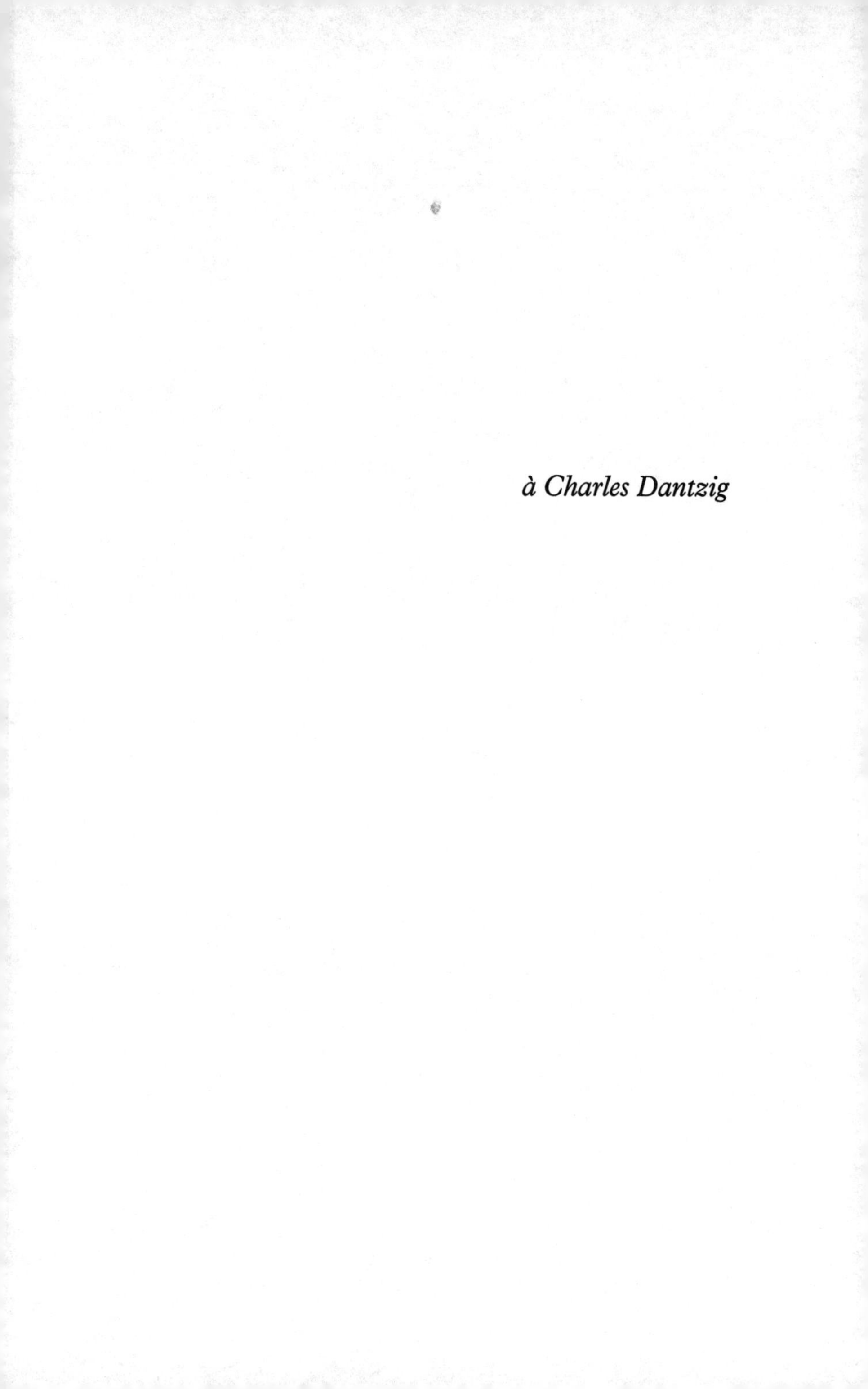

à Charles Dantzig

Son amour s'exalta, il devint fou, et parla de se brûler la cervelle, chose inusitée dans les pays à enfer.

STENDHAL,
La Chartreuse de Parme, chap. II

J'ai cru honteux d'aimer quand on n'est plus aimable.

CORNEILLE, *Sertorius*, IV, 2

1

Photo de groupe

Une photo nous montre, autour de lui, groupés de part et d'autre de sa courte et robuste stature : Paulo, son fils aîné, la trentaine, d'une beauté sombre et tourmentée ; Claude et Paloma, les enfants qu'il a eus vingt-cinq ans plus tard de Françoise ; puis Totote et sa fille adoptive Rosita ; Javier Vilató, un neveu à lui ; l'oncle Alphonse ; notre caniche noir Witty ; la mystérieuse Jacqueline ; Raymond Fabre, qui a pris la photo et l'a développée dans son studio Visages de la rue de l'Ange, situé juste en face de chez nous ; enfin mon mari et moi. Douze personnes et un animal, réunis dans un angle de notre cour, nue et sans grâce, qu'il a surnommée patio, en souvenir des jours anciens de son enfance pauvre à Malaga. Passé d'arcades blanches, de jets d'eau, de murmures dans la nuit, époque révolue pour l'exilé politique. Sa ville natale, qu'il a quittée à dix ans et où il n'est jamais revenu, il l'évoque souvent. J'aime cet attachement à ses jeunes années, d'un homme à qui sa gloire mondiale ne fait pas oublier l'humilité de ses origines.

Sur la photo, je me tiens à sa gauche ; Totote à sa droite. Dans la bousculade du début, c'était le contraire. Il nous a fait permuter. Du côté du cœur, m'a-t-il dit, c'est là qu'est votre place. Pourtant, nous nous connaissions à peine. J'ai pris ce compliment pour une boutade sans conséquence, bien que je n'ignore pas avec quelle leste et cavalière désinvolture il descend du cœur et de la zone des sentiments à ce qu'il aime surtout dans les femmes.

Une lueur friponne éclaire son visage ; son œil noir pétille de malice, même dans cette circonstance où rien ne motive une allégresse particulière. Les deux seuls autres à paraître gais sont Javier le gitan, insouciant par nature, et Raymond, fier de sa réussite professionnelle. La plupart semblent inquiets ou embarrassés ; les deux enfants parce qu'ils cherchent en vain leur mère ; Paulo, parce que son père le tient ostensiblement à l'écart. Il lui interdit l'accès de son atelier, refuse de lui montrer ses nouveaux tableaux, le traite en gamin sans cervelle, ne l'embrasse jamais. Il l'a promu chauffeur et mécanicien de la grosse Hispano-Suiza dont il doit assurer l'entretien après le renvoi de Marcel ; n'est-ce pas un signe supplémentaire de méfiance et de froideur, que d'avoir relégué son fils dans un emploi subalterne ? Une « faveur », selon lui, dont l'octroi le dispense de toute autre marque d'affection.

Nouvelle venue dans le cercle des intimes, Jacqueline, plus jeune que Paulo, ne sait pas quelle attitude adopter et comment trouver sa place dans cet imbroglio familial. Les enfants semblent l'aimer bien ; c'est elle qui, se sentant dans une position précaire, garde un air contraint. Paulo la considère d'un œil réprobateur ; à peine s'il se montre poli ; pour lui, c'est une intruse. Elle a soin pourtant de se tenir en retrait, de ne pas donner l'impression de vouloir s'imposer, même par le biais des enfants. Elle ne cherche ni à s'entremettre dans leurs jeux, ni à se mêler de leur éducation. J'hésite à la juger. Quel but poursuit-elle ? Je ne sais si je dois espérer ou craindre ce que je soupçonne. Avec son profil aigu, ses cheveux noirs ramassés en chignon, son port de tête qui m'intimide, son maquillage discret qui l'embellit, elle ne manque pas d'allure. Mon visage me semble un peu empâté, en comparaison du sien. Il faudra que je dise à Maria de nous préparer une cuisine plus légère. Les plats catalans sont si lourds, et ses repas si copieux !

Totote ne s'est jamais remise de la mort de son mari, le sculpteur barcelonais Manolo Hugué ; Pablo a orné d'un cœur transpercé de deux flèches son porte-serviettes en papier toilé rose ; encore belle à son âge, elle fait exprès, pour avoir l'air plus vieille, de laisser grisonner ses cheveux sans essayer de les teindre, et de chausser d'affreuses besicles comme on en portait au temps de la marquise de Sévigné. Rosita, que Totote et Manolo avaient tirée autrefois d'un orphelinat pour la recueillir chez eux, se dépêtre mal de ses ennuis sentimentaux. Elle a de jolis traits, mais chiffonnés par l'habitude des revers. L'oncle Alphonse, qui a exercé la médecine puis créé une agence matrimoniale avant de se lancer dans le journalisme, se lamente d'un célibat prolongé. Il affecte la mine longue des gens qui se croient victimes du sort.

Pour ma part, je devrais afficher un air plus tranquille, mais la gêne, le trouble que je sens chez certains de nos hôtes m'empêchent de l'être tout à fait. Mon mari semble content, mais le sourire stéréotypé qu'il a adopté une fois pour toutes afin de se protéger de la curiosité d'autrui – politique qu'il juge élégante, « Grand Siècle », dans une époque qui ne répugne pas à l'étalage des vies privées – n'est pas une preuve. S'il pense aux difficultés de la cohabitation entre des personnes d'âge, de sexe, de situation, de caractère si différents, n'est-il pas, lui aussi, préoccupé ? Son crâne dégarni, lisse, poli comme un caillou, je crois qu'il en est fier : Voyez, je n'ai rien à cacher, tout se lit sur ce crâne comme dans un miroir.

Certes, la maison est grande ; bien agencée ; d'un agrément incontestable ; entre le rez-de-chaussée et les deux étages, chacun y aura ses aises. Pour gouverner les enfants, j'ai engagé une paysanne de Port-Vendres dont le mari, marin-pêcheur, nous ravitaille en poisson frais. Puis, pour garantie de la bonne entente et de la cordialité réciproque, nous aurons sa présence au milieu de nous ; qu'il ait accepté notre invitation et consenti à faire retraite loin de son milieu habituel et du cortège de ses admirateurs plus brillants, cette marque de simplicité bienveillante nous oblige à refouler nos soucis personnels. Il serait malséant de ne pas mettre de côté tout ce qui pourrait nuire au recueillement dont il a besoin pour travailler.

Je lui avais proposé un appartement au premier étage, deux pièces ouvertes sur un jardin intérieur, abritées du soleil, fraîches, silencieuses, à l'opposé du quartier des enfants. Planté de beaux arbres qui lui font de l'ombrage, le jardin renferme un bassin alimenté d'une eau limpide. Il a préféré s'installer sous les combles, dont plusieurs grandes lucarnes donnent sur la rue de l'Ange. Cet endroit lui offre les trois choses auxquelles il attache le plus de prix : la solitude, la lumière et l'espace. L'escalier par lequel on y accède est étroit, raide. C'est bon pour les jambes et le cœur, selon lui. Je n'ai jamais vu personne craindre moins la chaleur. Nous sommes pourtant endurants au soleil, dans cette extrémité de la France située à hauteur de Florence.

— Pour un Andalou, il ne fera jamais assez chaud.

— Mais fin septembre, Pablo, vous permettez que je vous appelle Pablo ? fin septembre on vous mettra un poêle.

Au prix de quels aménagements compliqués, je n'ai pas cru utile de le dire. Les Monuments historiques nous interdisant de pratiquer une ouverture dans le toit, le tuyau passera par un trou percé dans le plancher de ma chambre, qui est juste en dessous de la partie des combles où j'ai installé son chevalet.

Pendant qu'il travaille, il veut qu'on ne le dérange sous aucun prétexte. C'est lui qui choisira son heure pour descendre et s'occuper de ses enfants. Les repas sont fixés pour lui à la mode espagnole : trois heures de l'après-midi pour le déjeuner, dix heures pour le dîner.

— Si jamais vous entendez frapper trois coups au plafond, a-t-il ajouté à mon intention, montez dans mon grenier. Mais vous seule, Aimée. Il se peut que j'aie envie de prendre l'avis d'un esprit libre dépourvu de préjugés.

Comme il faut toujours un souffre-douleur dans une maison, c'est l'oncle Alphonse qui tient ce rôle. Devenu, sous un faux nom, critique d'art dans *Les Cahiers d'art* et dans plusieurs journaux parisiens, il prépare une biographie de Pablo. Quand il a appris sa venue à Perpignan, il a demandé à être introduit dans le cénacle. Paul lui a offert l'hospitalité. Je ne comprends toujours pas le lien de parenté entre l'oncle Alphonse et mon mari ; celui-ci prétend qu'il l'a soigné autrefois d'une maladie grave ; je les soupçonne d'avoir couru ensemble la prétentaine, et que cette maladie grave recouvre un vilain secret par lequel il tient Paul. Nous n'avons pas encore d'enfant.

À part cet épisode mystérieux, l'oncle Alphonse m'inspire des sentiments partagés. Je me demande s'il a vraiment les compétences qu'on lui prête. Totote ne l'aime pas beaucoup. Elle lui a fait sèchement comprendre qu'il perdrait son temps à faire la cour à Rosita. Autant son métier de photographe satisfait pleinement Raymond, autant dans chaque article de l'oncle Alphonse perce la frustration de celui qui parle d'un art sans être capable de l'exercer lui-même. Pour rester à la mode et garder l'estime de ses confrères, il jargonne, répudie le mot *style* qu'il remplace par *geste pictural*, convoque à tout propos *L'Être* et *le Néant*, distingue dans un tableau *l'en-soi* et *le pour-soi*, dans l'analyse d'un tableau le contexte et le paratexte. Ah ! on peut dire que la profession s'y entend, pour emberlificoter une idée simple dans un baragouin décourageant ! À l'avis d'une humble provinciale, tarabiscoter ses phrases souligne le vide de la pensée. Pablo déteste les critiques d'art, responsables selon lui des innombrables malentendus sur son œuvre. J'osais à peine lui annoncer que l'oncle Alphonse partagerait notre toit. Loin de protester, il s'est écrié : « Tant mieux ! », mais d'un tel ton et en lançant de son œil noir un éclair si espiègle, que je plains d'avance l'imprudent. Sans aucun doute, il lui réserve des tours de sa façon.

2

La colombe

J'ai peur de ne pas le comprendre. Si je commence ce cahier, c'est pour essayer de voir plus clair dans les pensées, les sentiments, l'intimité de cet homme fameux dont mes pauvres moyens peinent à saisir les détours, les embardées, les revirements. On l'attend ici, il est déjà là, à vous narguer par une pirouette, un saut périlleux, un rétablissement non moins invraisemblable. Tu n'es qu'une sotte, si tu crois que le nez occupe toujours le milieu de la figure. Je me refuse néanmoins à croire, comme le prétendent ses détracteurs, qu'il ne multiplie les volte-face d'un parcours toujours imprévisible que pour surprendre les uns, choquer les autres, épater chacun.

Il y a un mois qu'il est arrivé. Pourquoi avoir choisi Perpignan ? Totote m'avait confié qu'il avait *des problèmes.* Sa vie privée n'était pas *de tout repos,* « les femmes, tu sais », elle ne voulut rien me dire de plus, sauf qu'un séjour au calme, à l'écart et à l'abri de la publicité qui entoure chacun de ses actes à Paris, lui ferait beaucoup de bien. J'ai réagi un peu vivement. Elle raisonnait comme une institutrice. Quand on porte un nom comme le sien, Totote, a-t-on besoin de justifier un désir de dépaysement ?

Ce matin, j'ai accouru en l'entendant frapper trois coups au plafond. Il m'a montré un de ses derniers travaux, en me demandant ce que j'en pensais. Je n'ai pas cru devoir lui cacher ma déception.

— Pas mal du tout, dis-je, sans prendre le temps de l'examiner en détail.

— Vous ne l'aimez pas ?

— Mais si, Pablo.

— Vous dites ça d'un ton !

— Vous nous avez habitués à plus de mystère… On voit que c'est une commande, exécutée dans les règles. Quelque chose de… si j'ose dire… académique…

Avec une violence que je n'attribue pas seulement au tempérament espagnol, il m'a reprise :

— Dans les règles ? Vous osez dire que mon dessin est académique ?

Il voulait avoir mon avis sur la colombe qu'il avait dessinée pour l'affiche destinée au Congrès des Partisans de la Paix.

— Une colombe, pourquoi pas ? puisque cet oiseau est réputé pacifique et a toujours symbolisé la douceur, la tendresse. Mais celle que vous avez dessinée est si peu de vous, si… comment dire ? impersonnelle, qu'elle pourrait servir d'illustration pour le Saint-Esprit d'un livre de messe ou pour la messagère envoyée de son arche par Noé dans la nouvelle série de *La Bible pour tous* à laquelle Rosita s'est abonnée.

Énervé par *Saint-Esprit* et par *livre de messe*, il commença par se défendre.

— D'abord ce n'est pas une colombe, mais un pigeon. La colombe, fine, effilée, blanche, est l'oiseau des riches, qu'ils achètent pour le mettre sur le toit de leur résidence secondaire, tandis que le pigeon, gros, gris, commun dans les squares et les cours de banlieue, matérialise la vie quotidienne des prolétaires.

— C'est bien une colombe. Pourquoi avez-vous appelé votre fille Paloma ? Parce que, justement, elle est née pendant ce Congrès de la Paix.

Buté et mécontent, il se tut. Visiblement, il cherchait à reprendre l'avantage sur le terrible mot *académique* qui l'avait blessé.

— Soyez franche, Aimée. Dites plutôt que mon engagement avec les communistes vous irrite. Vous m'avez aperçu l'autre jour assis à la terrasse du Grand Café des Palmes, où la section du Parti communiste français des Basses-Pyrénées me recevait avec des discours.

— Paulo m'a dit que Pignon, le peintre dont vous n'appréciez pas trop les tableaux, était là, avec sa femme Hélène Parmelin.

— À titre purement amical.

— Ils vous ont transmis une lettre de félicitations de Maurice Thorez et une adresse chaleureuse des travailleurs de Billancourt.

Édouard Pignon (je donne ces détails par crainte que son nom ne soit oublié dans dix ans) s'est spécialisé dans les tableaux de propagande : ouvriers dans la mine, grévistes en faction devant leur usine, cortèges de chômeurs, défilés du 1er Mai. Le Parti l'avait envoyé à Perpignan pour qu'il réveille la conscience politique de Pablo supposée endormie par la villégiature. Il apportait en offrande, payée par le Parti, peinte de sa main, une jeune Catalane en costume local (hommage à la province), sur fond bleu (imposture du ciel) en train de trier des anchois à Collioure (réalisme social). Les agréments du Roussillon ont leur revers.

De toute la journée, il resta malheureux. Ruminait-il les conséquences pour un artiste de s'inféoder à une cause, si désintéressée soit-elle ? Quelle différence y a-t-il entre peindre des ouvriers dans la mine de charbon, pour un communiste, et des saintes femmes au pied de la croix, pour un catholique ? À ce tourment devait s'ajouter l'embarras de se trouver ici dans une position fausse. Invité par l'intermédiaire de Totote, cette amie qui nous est commune, il avait pris ses quartiers dans l'hôtel particulier de mon mari, Paul de Sorrède. Un nom à particule, fait pour lui rappeler les privilèges d'une classe qu'il est censé haïr, même si notre hôtel n'est qu'une modeste demeure dans la province la plus pauvre de France.

En nous remerciant de notre hospitalité, il nous avait dit qu'il ne l'avait acceptée que par convenance géographique, le Roussillon étant limitrophe de sa chère Catalogne. Ce serait pour lui une joie que de rencontrer des compatriotes exilés, de les écouter, de leur parler dans leur langue ; et, pour ses enfants Claude et Paloma, l'occasion de respirer un peu de ce climat dont il avait la nostalgie. Adolescent, il avait étudié à Barcelone, ville qu'il avait beaucoup aimée ; il n'y retournerait jamais tant que Franco serait au pouvoir. Soit, mais il aurait pu choisir de loger chez un vigneron plutôt que chez le comte et la comtesse de Sorrède.

Je sens que son vrai problème est ailleurs. Ni le pénible tri des anchois dans le charmant petit village de Collioure, ni le nom à particule ne le préoccupent plus que cela. Ce sera du côté de sa vie privée, comme le suggère Totote dans son langage d'ancienne blanchisseuse et teinturière municipale, que *ça coince aux entournures*. Pourquoi Françoise, qu'il adore, pourquoi la mère de ses enfants n'est-elle pas venue ?

En homme qui multiplie les arguments annexes pour faire oublier qu'il ne mentionne pas le principal :

— Il y a trop longtemps, m'a-t-il dit hier, que je suis privé de corridas. À Malaga, à Madrid, à Barcelone, j'allais tous les dimanches aux courses. On m'assure qu'il y en a à Céret, à Collioure ?

— Les meilleures sont à Céret, dis-je à contrecœur.

— Vous êtes contre la corrida ? s'écria-t-il, alerté par ce ton froid.

— Non, mais…

Je n'eus garde de lui avouer mes réticences. Il me classerait au nombre de ces Français qui veulent de *l'humanitaire* pour les taureaux, sans se préoccuper d'où arrivent dans leur assiette les biftecks saignants dont ils se pourlèchent.

Quand il descendit pour déjeuner, je le vis si dépité de mon opinion sur sa colombe ou pigeon que j'essayai de réparer mon impair :

— Le dessin est beau en soi, vous n'avez pas à regretter d'avoir envoyé cet emblème dans le monde puisqu'il va y appuyer les campagnes des hommes de bonne volonté en faveur de la paix entre les peuples.

Cette phrase un peu longue, étirée pour cacher mon manque de conviction, n'eut pas l'effet escompté. Il secoua la tête, soit qu'il juge mauvais ce dessin, soit qu'il se reproche d'avoir obéi au Parti, soit que le principe même d'une œuvre réaliste, à l'époque où il entasse en désordre dans une incohérence voulue des formes inintelligibles auxquelles il donne des titres aussi inappropriés que *Femme nue dans l'atelier*, *Les Demoiselles au bord de la Seine*, *Femme assise avec une bouteille* (on ne distingue ni femme ni bouteille), lui paraisse marquer un retour en arrière, le déni d'un demi-siècle de recherches.

Il s'était dit peut-être : le genre *animalier* va plaire à celle que son caniche noir Witty ne lâche pas d'une semelle ? Paul est agacé de cette fidélité canine. Il s'amuse à tourmenter le pauvre animal, en brandissant un morceau de viande hors de sa portée. Witty commence par faire des bonds pour l'atteindre, puis, quand il a compris que tous ses efforts seront vains, il s'assoit, la queue ramenée sous lui, la mine contrite, les oreilles tombantes, les yeux tristes et clignotants. Partagé entre un sentiment d'offense et la nécessité de la soumission, il renonce même à aboyer. Pablo a reproché à mon mari d'abuser ainsi de la confiance d'un chien. Lui aussi a un chien, qu'il a laissé à Vallauris.

Ai-je bien fait de lui ôter ses illusions sur la colombe ? Encore ne lui ai-je pas tout dit. Noé avait lâché la sienne au-dessus de la terre inondée pour avoir une preuve de la décrue. Le rameau d'olivier qu'elle rapporta dans l'arche lui annonça que les eaux avaient commencé à se retirer. Mais la colombe de Pablo ? Elle est si lourde qu'elle ne réussirait même pas à décoller. La paix dans le monde, remise aux bons soins de ce dindon ? Je le vois très bien figurer dans une série « volatiles » de timbres-poste, à côté de la série « mollusques ». Le fils de notre jardinier fait collection de ces timbres, qu'il classe dans un album à fermoir de cuivre et à lettres dorées que je lui ai donné pour sa première communion.

3

Père et fils

Paul, à qui j'ai confié mes réflexions, s'est mis à rire. Pourquoi ai-je épousé un homme avec qui j'ai si peu d'affinités ? Quand on a été élevée par un père notaire et une mère avocate au civil, on n'a qu'une envie, c'est de s'évader d'une maison à dossiers. Par réaction à ce monde d'affaires dominé par le souci exclusif de *l'utile*, je n'avais que trop tendance, jeune fille, à me perdre en rêveries oiseuses alimentées par la lecture de romans. La série complète des aventures du chevalier Éric et de la belle Maguelonne, les feuilletons de Maurice Dekobra et de Xavier de Montépin, la collection des Harlequin à couverture en couleurs, les suppléments hebdomadaires des magazines féminins, toutes ces histoires d'amour, de rendez-vous clandestins, d'enlèvements nocturnes, enflammaient mon imagination. Mes parents avaient une maison de campagne dans les contreforts boisés des Albères. Je grimpais dans la fourche d'un chêne-liège pour m'isoler avec mes héros. Ma jeunesse a pris fin le jour où mon grand frère Alexandre, étudiant en lettres à l'université de

Montpellier, m'a traitée de *petite Bovary du Sud*, d'un ton si moqueur que sans comprendre à quoi il faisait allusion, j'ai deviné que j'étais devenue ridicule.

Paul, le camarade d'études d'Alexandre et son meilleur ami, a remis sur terre les pieds de la petite oie. C'est un esprit posé, qui tient de ses ancêtres propriétaires de vignes et de champs d'arbres fruitiers un solide bon sens rural. Il gère sa fortune habilement, ne prenant part aux travaux d'embellissement de la ville que du peu qu'il faut pour se faire bien voir des autorités municipales. Il s'est acquis la réputation d'encourager les arts, pour avoir apporté une contribution de cent mille francs à la rénovation du joli théâtre à façade de briques roses. Il y avait de la sincérité dans ce geste, mais aussi l'espoir d'échapper par ce biais à une augmentation des taxes foncières. L'art n'est pour lui qu'un ornement de la société, et le mécénat qu'un moyen de payer moins d'impôts. Nous nous sommes disputés à ce sujet plus d'une fois. Lorsqu'il m'accuse d'idéaliser les artistes, je lui rétorque que le moindre d'entre eux plane à mille lieues au-dessus du cercle de ses amis skieurs et skieurs nautiques qui forment la « société » de Perpignan.

Quand il s'est agi d'accueillir Pablo, il a d'abord jaugé quel supplément de considération sociale il retirerait de cet invité prestigieux.

— Tu l'as invité, c'est bien, je t'approuve, c'est dans la tradition de l'hospitalité catalane, mon père recevait chez lui Aristide Maillol, Chagall, André Lhote, mais ne compte pas sur moi pour trouver du mérite et faire une place dans notre salon à cette horrible guenon en bronze qu'il a promis de te laisser en cadeau. Voudrais-tu qu'elle figure à côté de la délicieuse *Ève à la pomme* que mon père a achetée à Maillol ? Voilà une statue dont la nudité ne choque pas, ayant la beauté calme et lisse de la sculpture archaïque grecque. Je ne me lasse pas de la regarder. On n'a pas besoin de se torturer les méninges pour deviner où est le nez, où est la bouche, où est la paire de seins. Nous pouvons la montrer au maire quand il nous fait l'honneur de venir dîner. J'ai autorisé Raymond Fabre à la photographier pour Pablo Casals, dont la petite maison qu'il vient de louer à Prades abrite ses violoncelles mais manque d'ornements.

Avec Paulo, j'ai des échanges dix fois plus stimulants, bien que je trouve son esprit prévenu et ses arguments d'une injustice souvent criante. Dressé contre son père, il le critique âprement, bien après l'âge du conflit œdipien. Comme premier et durable grief, il lui en veut de l'avoir appelé comme lui, du même prénom, Pablo ; homonymie qui, à l'entendre, l'a retardé ; il a eu du mal à se construire. Sa personnalité en a souffert ; elle a mis du temps à s'affirmer. Il avait dix-huit ans quand il a réussi à faire accepter à son père le changement de Pablo en Paulo : timide compromis, qui souligne son incapacité à s'émanciper complètement. S'il est aujourd'hui un fervent communiste, c'est peut-être par loyauté politique et conviction sincère ; mais surtout pour se démarquer de celui dont il désapprouve ce qu'il appelle la *duplicité.*

— C'est bien simple, m'a-t-il dit, ses premières expériences lui avaient forgé une âme de gauche. À Barcelone, il logeait dans des garnis minables, repaires de nomades et de gueux sans domicile, sans profession, sans ressources, chômeurs, repris de justice, vagabonds, va-nu-pieds, population flottante de réprouvés dont il aimait la compagnie. À Paris, au Bateau-Lavoir, il partageait avec Max Jacob une chambre non chauffée, presque sans meubles, où il n'y avait qu'un lit, en sorte qu'ils y dormaient à tour de rôle, l'un pendant la nuit, l'autre pendant le jour. La dèche complète, quoi. Solidaire de toutes les déchéances, il a commencé par peindre des mendiants, des prostituées, des saltimbanques, des alcooliques dans les bars de nuit, des couples frigorifiés, de vieux Juifs faméliques, toute cette lie urbaine broyée par le système. Sa *Repasseuse* courbée en deux sur son fer reste un magnifique témoignage sur la dureté de la condition ouvrière.

«Tant qu'il s'en est tenu à cette galerie de misérables, il n'a eu aucun succès, ses tableaux aucune valeur commerciale. On n'avait pas envie, dans l'insouciance de la Belle Époque, d'accrocher à son mur des rebuts de la société. L'absence de guerre, depuis trente ans, avait rendu les cœurs secs. Pour vendre ses toiles, *percer sur le marché*, il a dû renoncer au réalisme social, abandonner la chronique des épaves, la tournée des cabarets et des prisons, rallier l'avant-garde, qui se moque bien des problèmes sociaux ; il a dû se lancer dans l'abstraction, le cubisme, les papiers collés, la déformation des corps et des visages, la destruction de la peinture *ressemblante*.

«Vous me suivez ? Ce "tournant à 180 degrés", loué par les critiques bourgeois, n'a été qu'une manœuvre intéressée. Traître à sa conscience politique, il a renié ses amis d'autrefois au profit de ses ambitions de carrière. Qui, dans le public populaire, pourrait les apprécier, ces nez de travers ? Ces bouches en forme de groins aux narines démesurées ? Ces yeux dont l'un regarde à gauche et l'autre louche en sens contraire ? Il faut être d'une effronterie cynique pour s'extasier devant ces moitiés de visage arbitrairement dissymétriques, ces bouts de figures atomisés. Objets d'épouvante, ils ne peuvent plaire qu'à un public riche qui, même s'il les trouve horribles et ne les comprend pas, est poussé par le snobisme à les acheter.

« Être de gauche et dépendre par force d'une clientèle de droite, voilà le *tourment*, comme vous dites, de celui qui n'a acquis la célébrité qu'en insultant au bon sens des gens normaux.

Il m'a longuement sermonnée, avec la fougue et le sectarisme des jeunes gens qui se veulent *engagés*, selon le mot d'ordre des *Temps modernes*. Il soutenait que les riches, dont les sensations sont émoussées, ne s'intéressent qu'aux peintures et aux sculptures qui font *événement*. Encore mieux : *scandale*.

— Je veux bien, a-t-il ajouté, que la plupart des artistes contemporains ne soient que des faiseurs qui exploitent les nigauds, mais lui, impossible de le soupçonner d'ignorer ce que devrait être son devoir ! Le goût de l'argent, l'ambition de grossir son compte en banque le poussent à des provocations de plus en plus insensées. Les distorsions, les difformités qu'il inflige à ses modèles arrivent à être si monstrueuses que *L'Humanité* se garde bien de les reproduire pour ses lecteurs. La fausseté de cette position le condamne. Renier la classe qui lit *L'Humanité* pour se vendre à ceux qu'il déteste, je trouve cette trahison odieuse. Que répondez-vous à cela ?

Surprise par cette attaque, je n'ai pu que balbutier qu'il est bien assez riche aujourd'hui pour faire ce qui lui plaît, réponse assez sotte qui laisse intacte la question de savoir pourquoi il n'est jamais satisfait de ce qu'il peint.

Mon esprit d'escalier lui a laissé toute latitude de pousser plus avant sa diatribe. D'après lui, s'il a décidé récemment de s'inscrire au Parti communiste et d'en devenir le porte-étendard, c'est pour s'acheter un certificat de bonne conduite. (Il a employé cette expression affreuse.) Son pigeon – car Paulo n'est pas de mon avis : il n'a appelé sa demi-sœur Paloma que pour faire croire qu'il avait peint une colombe –, son pigeon est le gage qu'il donne au Parti. Maurice Thorez a durci son contrôle sur les artistes depuis que les bruits sur la maladie de Staline lui imposent un redoublement de vigilance sur ceux qui, profitant d'un certain flottement à Moscou, seraient tentés de prendre des libertés avec les objectifs du Parti. Peindre pour le Congrès communiste de la Paix un pigeon absolument conforme à la morphologie d'un vrai pigeon, avec un bec dans le prolongement de la tête, des pattes sous le ventre et des plumes lissées dans le même sens – un pigeon après lequel le fils du quincaillier aurait envie de courir le dimanche aux Buttes-Chaumont –, c'est faire amende honorable des femmes sans tête, des nus sans corps, des yeux à la place des oreilles, des visages montrés simultanément de face et de profil.

— Il compte sur ce geste d'allégeance au goût du grand nombre, comme le soldat qui a déserté table sur l'indulgence du tribunal. Vous avez raison de qualifier ce dessin d'*académique*, mais tort de le condamner comme tel. L'académisme, aujourd'hui, c'est le respect du grand nombre. La masse des citoyens qui n'ont pas les moyens d'acheter préfèrent *La Joconde* aux élucubrations des peintres contemporains. Taxer dédaigneusement de « conformistes » cette masse de citoyens prouve qu'on ignore les besoins du peuple. Le conformisme, c'est la base de la démocratie communiste.

— Vous voulez dire, Paulo, que le révolutionnaire en art ne peut pas être la même personne que le révolutionnaire en politique ?

— Tout à fait. Le même homme ne peut être les deux à la fois. Il doit choisir sa révolution. L'avant-garde ne touche qu'une infime minorité. Savez-vous combien coûte chacun de ses tableaux ? Je suis effaré des prix qu'il exige. C'est le peintre le plus cher avec Van Gogh. Il a plusieurs galeries, pour faire monter les enchères. Tout est calculé pour extorquer aux riches le maximum de fric.

— Ça doit vous plaire ! fis-je, agacée d'être identifiée à cette classe qu'il juge si sommairement.

Sans relever l'ironie, il poursuivit :

— Les riches adorent qu'on se paie leur tête, ils trouvent que c'est une excellente façon d'expier leurs privilèges. Les pauvres veulent qu'on les respecte. Le *bon peintre*, selon les pauvres, est celui dont les tableaux leur présentent des aspects de leur vie quotidienne, des tableaux où ils peuvent *se reconnaître.* Mais le peintre qui cherche à satisfaire ce désir de vérité sociale ne vendra qu'à la fête de *L'Humanité.* Les marchands qui décident des cotes et les journalistes à leur solde stigmatiseront ce serviteur du peuple comme un *affreux ringard.* Un ouvrier qui lit son journal sous la lampe est pour ces cyniques un sujet de tableau démodé. Ils appellent avec mépris *chromo* tout ce qui intéresse les quatre-vingt-dix-neuf pour cent de la population.

« Je suis allé l'an dernier à Moscou, avec le comité d'entreprise de Renault. Les visiteurs de la galerie Tretiakov, ouvriers, employés, fonctionnaires, militaires, appartiennent à ces quatre-vingt-dix-neuf pour cent. De salle en salle, je les ai vus déambuler, heureux d'être *reconnus.* Devant ces scènes de sauvetage en mer, de repas à la cantine, de pique-niques à la campagne, de sorties d'usines, ils hochaient la tête de satisfaction. Ah! vous souriez. *Hocher la tête de satisfaction* ne peut convenir, selon vous, qu'à des nigauds incapables de comprendre rien à l'art. Je suis d'emblée disqualifié à vos yeux.

« Excusez-moi, ma mère était née dans une isba sans plancher. Elle a connu la pauvreté et partagé les sentiments du peuple. Ah! voilà quelqu'un que j'admire sans réserve! Elle a choisi la danse parce que c'est un art où il est interdit de tricher. Le corps est poussé jusqu'à ses limites; celles-ci restent impossibles à transgresser. Avec la danse, avec le corps, on ne peut pas faire n'importe quoi. Impossible de piper les dés. Entre mes parents, il y avait donc incompatibilité d'idéal, d'où leur mésentente. L'art est pour ma mère une religion...

« Dans cette galerie Tretiakov, j'ai assisté à un spectacle qui m'a bouleversé. Un instant m'a suffi pour comprendre et détester la voie fausse où s'est aventuré mon père et où il a entraîné l'Occident. Deux fiancés étaient tombés en arrêt devant le portrait d'une jeune fille en train de mordre dans une pêche. "Tu lui ressembles! s'écria, ravi, le fiancé, tu as le même geste, la même expression pour croquer une pomme d'Antonovo!" Pour ce couple de travailleurs, c'était, je vous le répète, de la *vraie* peinture: celle qui reproduit fidèlement une scène qui leur est familière.

4

Mari et femme

Les voix montent par le tuyau. Aimée aura fait exprès d'installer mon établi et mon chevalet près du poêle, à côté de mon coffre. Assis sur ce coffre dont la présence l'a tellement intriguée, quand elle m'a vu le refermer à clef et glisser la clef au fond de ma poche, j'ai entendu tout ce qu'ils se sont dit. Il doit y avoir dans sa chambre un point d'écoute idéal pour se faire entendre du grenier, comme au théâtre de Sagonte où une parole chuchotée au milieu du chœur résonne distinctement jusqu'au dernier gradin.

Pourquoi a-t-elle voulu que je ne perde rien de leur discussion ?

Ou bien elle cherche à me faire apprécier les qualités intellectuelles de Paul, qu'elle a poussé exprès sur le terrain de la peinture, soupçonnant, à juste titre, que je ne tiens pas en grande estime son mari. C'est le type du gentilhomme d'autrefois, courtois, affable, hospitalier, soucieux de plaire, élégant, toujours bien mis. En politique, adepte de la droite modérée. En religion, rallié au jésuitisme du cardinal de Fleury, dont il possède le portrait par Rigaud, déposé par précaution dans la sacristie de la cathédrale Saint-Jean. En morale conjugale, fidèle à la foi jurée, tant que la nature n'autorise pas un écart, vite absous au tribunal de la pénitence. En finances, recherche du profit compensée par de substantielles gratifications aux fêtes carillonnées et par l'absence d'avarice. Il reçoit bien, loge Totote et Rosita à demeure. Il m'a fait la surprise de mettre des pneus blancs à mon Hispano-Suiza.

La culture lui sert de vernis pour avoir l'esprit tranquille et ne pas avoir à se demander pourquoi les revenus qu'il tire de ses vignes et de ses plantations d'arbres fruitiers lui rapportent cent fois plus qu'à ceux qui travaillent sur ses terres. Ce n'est pas qu'il ne paie pas convenablement ses ouvriers : s'il fait son examen de conscience, trouve-t-il rien à se reprocher ? Une fois tous les dix ans, *il favorise les arts.* Cela ne m'étonnerait pas qu'il trompe *la promesse scellée par le sacrement* (comme ils disent) avec l'une ou l'autre des journalières de ses domaines, en prenant un maximum de précautions, autant pour ne pas choquer ses domestiques que pour ne pas blesser sa femme. Si quelque remords le tarabuste, il l'expédie en donnant à celle-ci du *ma chérie, mon loulou.* Il tient par-dessus tout à rester *correct*, à *sauver les apparences.*

Ou bien – l'hypothèse me plaît assez – Aimée se sert du tuyau de poêle pour gratter cette croûte de vernis et me révéler l'absence d'idées personnelles de son mari, qui raisonne d'après les clichés qu'il lit chaque matin dans *Le Figaro* en trempant une rousquille dans son café au lait. J'ai droit à une foule d'appréciations plus gratinées l'une que l'autre. *L'homme de gauche au double jeu, le communiste de chiqué, l'opportuniste qui mange à tous les râteliers, le stalinien qui mourrait de faim en Russie soviétique et ne s'engraisse qu'avec l'argent des capitalistes dont la disparition signifierait sa ruine*, etc. On m'étiquette ainsi, dans le beau monde. Bientôt ce sera : *la coqueluche des châteaux, le chouchou des comtesses*. Celle qui m'héberge n'est guère plus futée que son mari, mais qu'importe ! Elle est assez bien faite pour ne pas avoir besoin d'être intelligente. Naturellement, je lui adresse des compliments sur son esprit, cette tactique pourrait tourner un jour à mon avantage. Qui sait si, avec un mari de cet acabit et le tempérament qu'elle manifeste, elle… Eh ! Eh ! Le seul point où elle soit tombée juste, c'est quand elle s'est étonnée de cet affreux pigeon. Elle ne savait rien de ce qu'il m'avait coûté.

Quelle affaire en effet ! Lorsque Thorez m'avait demandé de dessiner une colombe pour en faire le symbole de la paix communiste, une masse de souvenirs m'avaient assailli. Je ne m'attendais pas à un retour si brutal du passé. Sans remarquer mon trouble, il avait insisté.

— Allons, Pablo, décide-toi. Ta dignité politique est en jeu, ta crédibilité de militant, autant que les intérêts de ton Parti et la cause de la paix dans le monde menacée par les Américains. Regarde la Corée. Ta cote n'est pas fameuse parmi nous, depuis que tu as préféré vendre un lot de tes sculptures au fonds Guggenheim de New York sans même en distraire une pour en faire don à l'Ermitage de Leningrad. La base à laquelle j'ai soumis le projet d'un emblème facile à comprendre pour tous, cette base serait dépitée, *voire même* (pléonasme, comme Aimée me l'a appris) indignée de ton refus. Une belle colombe te ralliera les millions de personnes que rebutent tes tarabiscotages auxquels tu dois une célébrité que je te pardonne si tu mets, enfin ! cette célébrité au service du peuple.

Comme j'hésitais encore, il m'a mis le marché en main :

— Si tu donnes ce gage au Parti, moi, de mon côté, je m'engage à te protéger des attaques de la presse soviétique. Elles sont de plus en plus virulentes contre ta dernière manière, qualifiée de *formalisme bourgeois décadent*. Avoue que tu ne l'as pas volé !

— Sais-tu, lui ai-je dit brusquement, quel tourbillon d'émotions soulève en moi ta proposition ? Mon père, José Ruiz, était professeur à l'école d'art de Malaga et conservateur du musée municipal. Le salaire était maigre. Ses loisirs, il les occupait à peindre, dans l'espoir de quelque revenu supplémentaire. Et que peignait-il ?... Des pigeons ! Ses tableaux remportaient de jolis succès. Il les exposait dans les salons à la mode, réussissait à en vendre, tantôt au club de voile, tantôt au cercle de la pêche sous-marine, tantôt à la caserne des pompiers, rarement à des particuliers... J'admirais l'homme qui, faisant contre mauvaise fortune bon cœur, comme vous dites, se pavanait sur le Paseo del Parque. Le corregidor retirait son chapeau devant lui. « Don José Ruiz, tous nos respects ! » Quelle allure il avait, don José Ruiz, pour l'enfant que j'étais... Malgré notre pauvreté, une élégance impeccable... Je le revois encore, pendant sa promenade du soir. Il faisait des moulinets avec sa canne, se penchait vers les dames, leur baisait la main... Mais un jour son manque de talent, la pauvreté de son inspiration, la platitude de ses tableaux m'ont sauté aux yeux, j'ai eu honte pour lui et pour moi, au point que j'ai répudié son nom, et changé le nom de Ruiz pour celui de ma mère. Et maintenant, tu voudrais que je te peigne une colombe *convenable, facile à comprendre pour tous*, c'est-à-dire aussi nulle que les pigeons de mon père ? Comprends-tu que tu me mets dans une situation impossible ?

Thorez m'écouta sans rien dire. Il semblait prendre un vif intérêt à ce que je venais de lui confier, comme si une nouvelle idée lui était passée par la tête ; et cette idée devait lui paraître riche de développements dont il pourrait tirer profit, car il me sourit d'une façon particulièrement aimable.

— Va, me dit-il avec une bourrade affectueuse, j'ai confiance que tu répondras pleinement à l'attente du Parti.

Obligé de m'exécuter, mécontent, je pensai d'abord à dessiner un oiseau si compliqué, si méconnaissable, si peu oiseau, que le Parti refuserait de le prendre pour emblème. Il me sembla ensuite plus amusant de faire exactement le contraire : un pigeon tout ce qu'il y a de plus ordinaire, en sorte que ceux qui suivent mon travail le regardent comme une œuvre de commande, sans importance, accidentelle, extérieure à moi, sur laquelle il ne faut pas me juger – presque un bon tour que je jouais au Parti.

— Tiens, lui ai-je dit, en lui apportant le dessin.

Il l'a regardé longuement, en a examiné chaque détail, mais je me suis vite rendu compte qu'il avait préparé à l'avance un discours sans grand rapport avec le sujet. Il me le débita d'une traite.

— Retour au père ! s'exclama-t-il. Je suis heureux que cette colombe non seulement porte partout dans le monde le message de la paix communiste, mais te réconcilie avec ton papa. Le Parti, comme tu sais, se lance dans une grande opération de promotion de la famille. Nous nous associons à la campagne pour la fermeture des bordels. Le général de Gaulle, qui attribuait la défaite de 1940 à la dénatalité et la dénatalité au relâchement des mœurs, a encouragé par tous les moyens le mariage, la procréation, les familles nombreuses. Sa politique d'allocations familiales, de priorité dans les autobus et d'aides variées aux couples mariés, nous a volé notre programme, coupé l'herbe sous les pieds. Poursuivie et renforcée par ses successeurs, cette politique pour la moralisation de la société constitue un des principaux obstacles à l'élargissement de notre audience. Trop de scandales ont éclaboussé le Parti : Aragon, volage avec ostentation, Roger Vailland, professeur d'immoralisme, René Crevel, le pédéraste... Pouah !... Toi-même (clin d'œil obscène)... A-t-on idée, pour un homme de gauche, adepte du marxisme-léninisme, de collectionner les bonnes femmes, d'en changer tous les dix ans, de pondre des mômes à vingt-cinq ans d'intervalle... Comment veux-tu attirer à un parti qui a l'air de favoriser le libertinage les millions de gens attachés avant tout aux valeurs de la famille ? Faut pas rêver, camarade ! Il est essentiel que le plus illustre ambassadeur de la culture populaire montre qu'il sait, comme tout le monde, dessiner un pigeon – oh ! pardon, un peu mieux que tout le monde, mais comme tout le monde aimerait le dessiner. Il est non moins indispensable que le peuple, à qui nous ferons savoir que ton père peignait des pigeons, puisse se dire, soulagé et reconnaissant : *tel papa, tel fiston.* Ceux qui hésitent à nous rejoindre verront que sur le point précis de la famille, pour ce qui est des liens familiaux et de la dévotion au *pater familias*, nous ne sommes pas en reste avec les gaullistes. Grâce à toi, nous les battrons sur leur propre terrain ! Sois fier de nous aider à grossir les rangs de notre électorat. Les bulletins d'adhésion afflueront du fin fond des campagnes.

(Ce *fin fond des campagnes* vaut bien *les lointaines banlieues* de la présidente du Cercle Interallié, quand elle m'a félicité, au pied de l'arbre de Noël organisé pour les enfants pauvres de Clichy-sous-Bois, d'avoir contribué par un chèque à ses œuvres.)

— Ton fils aussi, ajouta-t-il, sera content de voir que son père épouse avec autant d'enthousiasme les intérêts du Parti.

Paulo ? Il va ricaner, oui, et m'accuser, une fois de plus, de tourner un geste en apparence désintéressé en avantage personnel.

Il m'a bien attrapé, le bougre. J'ai envie de le détruire, ce dessin, mais il est trop tard. Reproduit à des milliers d'exemplaires, le voilà déjà répandu aux quatre coins de la planète.

Comment un tel lieu commun de pigeon a-t-il pu sortir de ma main ? Mon père peignait les siens d'après des modèles empaillés, le résultat était lamentable, mais ma colombe l'est-elle moins ? Elle est *empaillée*, c'est le mot. *Académique*, a dit Aimée, avec le bon sens d'une provinciale. Suis-je donc un de ces fils restés à leur insu soumis au père qu'ils ont renié ? Je me rappelle, à présent. Pendant l'hiver et le printemps où j'ai fragmenté une série de portraits de femmes en polyèdres qui *dénaturent* leurs visages, j'avais reçu la nouvelle, *peu avant*, que mon père était gravement malade. Dois-je mettre ces portraits *conceptuels*, salués sous ce nom et encensés par le critique du *Monde* comme des œuvres *expérimentales*, témoignages de la *jeunesse éternelle* du peintre, etc., sur le compte de mon *génie créateur* ? Ne sont-ils pas plutôt des *réponses* à la peur de verser dans la piété filiale ? Au mois de mai, je me suis rendu à

Barcelone pour les funérailles, et tout l'été suivant, je n'ai peint que des cubes et des carrés, par opposition aux sautillements de pigeons et aux natures mortes à pots de fleurs que j'avais vus dans son atelier.

« Réagir n'est pas agir. Provoquer : aveu de faiblesse et d'obédience » (Ramón Llull, *Ars Magna*, XV, 36).

Après avoir visité mon exposition à Zurich, le professeur Carl Gustav Jung a démontré gravement que le morcellement de certaines de mes peintures en facettes disloquées prouve que je suis atteint de schizophrénie. L'origine de cette pathologie serait à chercher du côté de mes antécédents familiaux, la schizophrénie étant souvent héréditaire, *surtout dans les pays méridionaux* (c'est un Suisse qui parle). Eh ! Eh ! Serait-il un Œdipe qui s'ignore ? L'Œdipe des temps modernes, qui se crève les yeux pour oublier qu'il est condamné à errer éternellement sur les traces du père ?

Les crétins peuvent avoir des lumières : à peine m'a-t-on tendu la perche que j'ai *colombisé* à nouveau.

Brave Aimée ! Elle m'a défendu, avec plus d'énergie que de discernement, contre les inepties qu'on débite sur mon compte. Mais Paul, avant de regagner sa chambre, a voulu faire le malin. Il raconta à sa femme que, parti à la chasse dans les Albères, il avait tiré une couple de pigeons sauvages.

— Faisons à notre hôte une bonne blague.

Il projette de me mettre dans l'embarras, par une plaisanterie qui, transmise au *Figaro*, fera rire les lecteurs aux dépens du *Diable rouge*.

— *Mon loulou*, donne tes instructions à Maria pour qu'elle fasse rôtir ces pigeons à la catalane, arrosés d'une sauce au piment d'Espelette. Leur peau sera imbibée de rouge vif. De rouge, tu te rends compte ? Comme au Kremlin, à la table de Staline ! Des colombes imprégnées de Karl Marx ! Ce que ça va être drôle de voir sa tête quand elle nous les servira ! On va bien rigoler !

5

Crise

— Il m'inquiète, te dis-je. Il manque d'appétit, renonce au banyuls de sept heures, ne boit qu'un verre de vin aux repas...

— Par ce climat, tu sais...

— ... Comme si, dans l'épreuve qu'il traverse, il voulait affirmer son courage ; prouver sa capacité de résistance, sans recourir aux petits moyens de consolation.

— La mort d'Éluard l'a beaucoup affecté. C'était un de ses proches les plus chers. Il est rentré à Paris suivre son enterrement. L'oncle Alphonse, qui y est allé avec lui, l'a vu marcher tête basse derrière le cercueil. Tous peuvent témoigner de son affliction. Picabia, Kisling viennent aussi de mourir. Il y a moins de dix ans, c'était Max Jacob, puis Maillol, puis Gertrude Stein, sa première admiratrice et mécène. Matisse est très malade. Derain a été renversé par une voiture. On les dit perdus... Braque décline... Un à un, ses amis de jeunesse disparaissent... Il reste un des seuls survivants du Bateau-Lavoir... Triste, avoue qu'on le serait à moins.

— Ce n'est pas de la tristesse… Il est profondément abattu.

— Abattu ? Pas du tout. Contrairement à toi, je trouve qu'il a un ressort exceptionnel. C'est un homme dont le moral ne flanche jamais. Chaque épreuve est pour lui l'occasion de rebondir. Il vient d'exprimer le désir de fabriquer des assiettes à la poterie de Sant Vicens.

— Ce pigeon l'embête.

— Sais-tu ce qu'il m'a dit l'autre jour ? Ces communistes sont si ignorants qu'ils ont choisi pour leur affiche un oiseau particulièrement belliqueux. Quel fameux tour je leur ai joué ! Ils ont pris un totem de guerre pour un emblème de paix. La colombe est douce, mais le pigeon carnassier. L'ambiguïté de ce symbole l'enchante. Il joue sur les deux tableaux : propagande, et désolidarisation humoristique de la cause propagée. Pour le présenter à Thorez, il avait ôté les griffes de son pigeon.

— Il a soixante-douze ans.

— Et alors ? Ne grimpe-t-il pas comme un jeune homme les treize marches jusqu'à son atelier ? Combien de fois m'as-tu dit que son ardeur à vivre t'épate !

— N'empêche qu'à cet âge, et avec tous ces morts, ces mourants autour de lui…

— Quoi, cet âge, Totote ? Il a une constitution de fer. A-t-il jamais été malade ? Sa phobie de la maladie est telle qu'il ne veut pas que j'invite à déjeuner notre médecin, l'excellent docteur Delcos. Il vivra jusqu'à quatre-vingt-dix ans.

— Manolo aussi avait une constitution de fer. Il est mort à soixante-treize ans.

— Tu es superstitieuse, comme toutes les Espagnoles. Le chiffre treize t'effraie.

— Cet homme ne peut pas se passer d'une femme, et ici, il vit seul, sa solitude est complète. Ne l'entends-tu pas, de ta chambre, se tourner et se retourner dans son lit, sans trouver le sommeil ?

— Ce sera la chaleur. Il ne veut pas descendre des combles, même pour dormir. Je lui ai pourtant proposé une chambre au premier étage.

— Ta... ta... ta... ta... Venons-en au fait. Tu trouves normal que Françoise ne soit pas venue ?

— Il y a du tirage entre eux, la chose est de notoriété publique. Dans tous les couples il y a de ces crises. Elles se résolvent d'elles-mêmes, après quelques semaines d'éloignement, le temps pour les époux de réajuster leurs rapports sur des bases plus libres.

— Ils ne sont pas mariés. Olga reste son épouse légale.

— Françoise et Pablo vivent en couple. Depuis dix ans.

— Dans ton ménage, Aimée, y a-t-il jamais eu de crise ?

À ces mots, lâchés étourdiment, elle s'est rembrunie. Sous ses apparences de femme heureuse, elle n'est pas dupe. Quand Paul lui annonce qu'il part tirer le sanglier pendant deux jours avec son club de chasse, elle se doute bien qu'il ne passera pas la nuit à la belle étoile. Je serais folle à sa place. Dans son milieu, on accepte tout, pourvu qu'il n'en transpire rien. Elle a hérité de sa classe l'idée qu'afficher une passion ou manifester son angoisse est du dernier mauvais goût. Tout doit rester secret de ce qui agite un cœur. Je l'admire, pour sa capacité d'encaisser les coups en gardant le sourire.

— Peut-être ton influence, Totote, nous a-t-elle été bénéfique. Manolo et toi avez laissé le souvenir d'une union parfaite.

Sur ce, elle a manifesté le désir d'aller ensemble sur sa tombe. Nous sommes parties en voiture pour le petit village où il est enterré. La route passe entre des champs d'oliviers et d'arbres fruitiers avant de s'enfoncer dans une partie plus désertique de la Catalogne française. J'aime ces courses avec Aimée. Elle conduit à soixante à l'heure son cabriolet Rosengart, sans se laisser intimider par les klaxons des voitures qui la collent dangereusement, selon le stupide code d'honneur viril catalan. Dès qu'ils voient une femme au volant, ils se jurent de la doubler et prennent des risques fous, sur ces routes si étroites qu'on peut à peine se croiser.

Au sortir du cimetière, en traversant le village, j'ai avisé le facteur qui passait de maison en maison distribuer le courrier dans les boîtes.

— As-tu remarqué, dis-je à Aimée, avec quelle anxiété il attend la poste ? À onze heures et demie et à cinq heures et demie, ponctuellement, lui qui prétend mépriser les horaires, il descend de son grenier. Je l'ai vu même sortir de l'hôtel pour guetter le moment où Andreu avec sa lourde sacoche débouche de la rue de Mailly.

— C'est bien naturel, avec toutes les demandes d'interviews qu'il reçoit de Paris et du monde entier, les propositions de contrats, les épîtres d'admiratrices, les coupures de journaux, les chèques d'acompte, les prospectus des marchands de couleurs et de ripolin, les invitations pour un théâtre, pour un vernissage, qui lui pleuvent de partout.

— Non, Aimée, son impatience a un motif bien précis. Il regarde le cachet, et si la lettre ne vient pas de Bretagne il jette son courrier dans l'entrée sans l'ouvrir.

Elle ne veut pas reconnaître qu'il est sous l'empire d'un chagrin qui le mine. Une lettre qui n'a pas été tamponnée dans les Côtes-du-Nord lui indiffère puisqu'elle ne lui apporte aucune nouvelle de Françoise.

— Il ne faut pas exagérer, Totote. Il a amené avec lui Jacqueline, selon son habitude de ne jamais manquer d'une solution de rechange en cas de célibat soudain. Elle n'est pas si jolie pour rien. Et piquante, avec ça, ce qui manquait à Françoise. Il s'y connaît, en brunettes !

— Jacqueline ? Tu rêves ! C'est l'oncle Alphonse qui l'a amenée. Pour ce service rendu, il pense qu'il obtiendra, l'effronté, un tableau gratis. Mais comme Jacqueline est divorcée et sans grands moyens, Pablo a éventé la manœuvre. Il l'évite, ta brunette piquante, il ne la regarde même pas, il s'assied à table le plus loin possible, je crois qu'elle lui est odieuse, justement parce qu'elle a l'air de chercher à profiter de sa détresse et de vouloir usurper une place encore chaude.

— Totote, il y a un signe qui ne trompe pas. Depuis qu'il est chez nous, tu l'as constaté, il a cessé de peindre des femmes nues, comme c'était sa coutume. Finie, cette manie. Plus de femmes nues, assises, couchées ou endormies, plus de baigneuses, plus de nymphes. Tu vois, il profite de sa retraite à Perpignan pour observer une période de chasteté. S'il a accepté notre invitation, c'est justement pour réserver à la peinture son énergie vitale. Ne le fige pas, comme la presse, dans un cliché désobligeant. L'obsession sexuelle, si elle a souvent inspiré son travail, ne le tourmente pas ici.

— Aimée, je voudrais bien, mais, signe pour signe, il y en a un autre qui t'a peut-être échappé. Il a fait venir avec lui ses enfants.

— Quoi de plus naturel, Totote ? Mais quels enfants ? Pas Maya, la fille de Marie-Thérèse, restée avec sa mère. Seulement les enfants qu'il a eus de Françoise. Il ne cesse de les peindre. Il y a cet extraordinaire portrait de Paloma, quand elle joue avec son camion. Il est allé au marché de Céret acheter pour Claude la barretina, ce béret local des hommes, qui rebique sur le haut de la tête, et pour Paloma le foulard à fleurs imprimées, et il a fait photographier par Raymond les deux enfants dans cette tenue typique.

Lui-même, pour se mettre à l'unisson de ses enfants, aime à se coiffer de la barretina et à s'entortiller autour du cou la cravate courte, large et rouge, des danseurs de sardane.

— La barretina a une signification politique. C'est la coiffure des hommes du peuple, par opposition au chapeau des bourgeois. L'appel est explicite.

— L'appel ?

— Françoise est socialiste, vice-présidente de son syndicat. Le béret souligne leur connivence. Il ne pourrait la supplier plus clairement de revenir, de ne pas le laisser seul.

Loin d'entendre mes raisons, elle s'entête à rester optimiste.

— La preuve, a-t-elle ajouté, qu'il s'éloigne de Françoise, s'accommode de leur séparation et souhaite peut-être la pérenniser, c'est qu'il *catalanise* leurs enfants, opération qui ne peut que déplaire à celle qui n'aime que la Bretagne. Il veut les ancrer dans une province qui les isolera de leur mère.

— Comme tu es naïve ! C'est toujours l'appel : vite, qu'elle vienne vite sauver leurs enfants de la *catalanitad* qui les menace ! Il fait exprès de les habiller comme ça pour l'énerver et la décider à le rejoindre. Il part en promenade avec eux suivi de Raymond à qui il demande de les photographier sous toutes les coutures et même de les filmer pendant qu'ils pique-niquent sur la plage d'Argelès, habillés en T-shirts à bandes jaunes et rouges.

— Je ne vois pas ce qu'il y a d'extraordinaire dans le fait qu'un père cherche à faire plaisir à ses enfants pendant les vacances où l'on a du temps les uns pour les autres. Il aime aussi nager avec eux. S'il a choisi de s'installer à Vallauris, c'est pour les emmener le plus souvent possible à la mer.

— Avec lui, Aimée, c'est un peu différent. Il déteste la notion de « vacances ». *Vacaciones*, en espagnol, dérive de *vacio*, vide, creux. L'imagines-tu heureux de rester *vide, vacant*, à ne rien faire ? Il n'a jamais de temps à donner, même aux proches qui lui sont le plus chers. Un temps qu'il donne aux autres est pour lui un temps perdu pour la création. En vérité, l'amour paternel entre pour bien peu dans son empressement auprès des enfants de Françoise. Si tu étais née de l'autre côté de la montagne, tu saurais quelle puissance magique les Espagnols attribuent à une image peinte ou photographiée. Il est persuadé qu'à force de peindre les portraits de leurs enfants et de les faire photographier par Raymond, il attirera celle dont ils ne sont que le miroir. Paloma et Claude, tels les fétiches de la Nouvelle-Guinée chargés d'attirer les pluies, ont pour mission de lui ramener Françoise dont l'absence le ronge.

— *Ronger*, tu exagères. Admettons qu'elle lui manque et qu'il souffre d'être seul. Mais n'y a-t-il pas, je te le demande, beaucoup d'orgueil blessé dans cette souffrance ? Plus d'amour-propre que d'amour ? D'habitude, c'est lui qui abandonnait les femmes dont il s'était fatigué : Fernande, Olga, Marie-Thérèse,

Dora… Françoise s'est éloignée d'elle-même. Si elle ne revient pas, elle sera la première femme qui l'aura plaqué.

— À soixante-douze ans, Aimée.

— Eh bien ?

— Imagines-tu ce que ce signifie être plaqué à soixante-douze ans ? Est-ce une chose dont on peut se remettre ? *Humainement* possible ? Il y a un âge où le sentiment amoureux coïncide avec la conscience de ses capacités amoureuses. Une femme avec qui l'on vit depuis plusieurs années peut s'accommoder de leur déclin. Une longue habitude de tendresse rend le couple solidaire et prépare la femme à l'indulgence, à la compassion, à la patience… Un retard à se mettre en train, des essais laborieux, des manipulations nécessaires, elle les acceptera. Même une défaillance, elle passera dessus, au besoin en prenant les devants et en disant que, ce soir, *vraiment*, c'est elle qui est trop fatiguée… Mais une nouvelle compagne ! Elle rirait de ses difficultés à s'acquitter de ce que jeunesse réclame… Tu me comprends… Si vif et gaillard qu'il soit resté, il se doute bien que chaque fois ce sera une *épreuve*, dont il n'est pas sûr de sortir victorieux. Pour tout homme, l'échec serait mortifiant. Mais pour un Espagnol… Les journaux ont rapporté le cas d'un Madrilène de cinquante ans, professeur, bel homme, qui étant tombé amoureux d'une de ses élèves l'avait persuadée de venir avec lui à l'hôtel. On interpréta son suicide par le manquement à la déontologie, le sentiment de culpabilité, la honte d'avoir abusé d'une mineure... Les médecins examinèrent la mineure : elle était restée vierge. Cuisinée par la police, la péronnelle avoua qu'elle s'était enfuie en pleine nuit de l'hôtel et avait planté là le professeur parce que, au bout d'une heure d'efforts, il n'avait pas réussi à la pénétrer.

J'avais une dernière preuve, dont j'aurais fait état devant Aimée, sans la parole que j'avais donnée à Pablo de ne rien jamais dire de ce que je pouvais avoir vu dans son atelier. Un jour où j'étais montée y remettre un peu d'ordre, je le surpris au-dessus de son coffre, dont il avait soulevé le couvercle. À mon étonnement, ce coffre dont il gardait si jalousement le secret était rempli de billets de banque ; à ma stupéfaction, il en remuait les liasses. De temps à autre, après avoir ôté l'élastique dont chacune de ces liasses était entourée, il comptait les billets. Il humectait ses doigts de salive, pour détacher plus facilement les billets et s'éviter une erreur de calcul. Ce qui me peina le plus, ce fut de le voir tirer la langue avec de petits claquements de satisfaction. Puis il inscrivait les chiffres dans un calepin et au bas de chaque page du calepin faisait et refaisait l'addition. Et chaque fois avec un nouveau claquement de langue.

Il était si absorbé dans cette tâche qu'il ne m'entendit pas approcher ; le nombre de liasses remuées, vérifiées, comptabilisées, m'effraya. S'étant retourné, il s'empressa de rejeter les billets dans le coffre et de rabattre le couvercle. Un homme riche à millions comme lui, compter un à un ses billets, comme le fameux usurier dans une pièce de Lope de Vega ! Alors que, toujours vêtu de la même chemise et du même short, il dépense très peu pour lui-même et vit sur un pied très modeste. À quoi bon ce trésor ? J'allais l'accuser de rapacité et d'avarice, quand je me suis rappelé une des répliques de cet usurier à un ami qui lui reproche son attachement excessif aux biens matériels :

Cuando falta amor,
queda el dinero e l'or.

Le docteur Delcos, que j'ai consulté en lui faisant croire que je voulais élucider un point de cette comédie, m'a confirmé que la privation de *performances* (c'est son langage), surtout quand elle touche des sujets jusque-là *compétitifs*, se traduit par la passion d'accumuler les richesses. L'argent supplée à la perte de l'amour.

— Ils ne veulent pas avoir tout perdu et cherchent à se rassurer qu'ils *valent* encore quelque chose. Chaque billet compté est un pari sur le bonheur. Plus la somme accumulée est importante, plus ils se sentent ranimés. Votre usurier, en plongeant ses mains dans un tas de florins et de ducats, avait évidemment, au contact de ces pièces de métal si brillantes et sonores, une sensation plus érotique que lorsqu'on ne tripote que du papier-monnaie. Néanmoins… Jacques Lacan a consacré une partie de son dernier séminaire à expliquer que l'humanité, sans cesse en quête de nouveaux psychotropes, était passée du stade de *l'écu, eh! cul!* au stade de *la bourse* – inutile de souligner le jeu de mots. Pas mal trouvé, hein ? Tout ça pour vous dire que les avares sont en majorité des veufs, des abandonnés ou des impuissants.

6

Manolo

À table, ayant appris que nous étions allées sur la tombe de Manolo, il nous a reproché de ne pas l'avoir emmené.

— Non seulement il a été mon plus cher ami, mon premier ami, l'ami catalan, j'avais quatorze ans quand je l'ai connu à Barcelone, il m'a conduit dans les quartiers du port et initié aux plaisirs du Barrio Chino en trichant sur mon âge. Comme je n'avais pas d'argent, il m'a servi de modèle pour mon premier portrait. Plus tard, il a été une providence pour toute une génération de peintres. Son rôle, à partir de 1911, a été primordial. J'avais juste trente ans. Il avait deviné quel cadre de vie convenait le mieux aux recherches que notre petit groupe parisien menait à l'aveuglette. Sans Manolo, et s'il ne nous avait pas fait venir à Céret, il n'y aurait peut-être pas eu de peinture moderne. Du moins, elle aurait été très différente.

Je l'interrompis.

— Mais Céret, tu y étais déjà allé !

— Oui, en route pour Paris, j'y avais fait halte, mais sans garder de ce bref passage une impression particulière... À vingt ans, on est pris tout entier par son idée fixe... J'avais si hâte d'arriver à Paris ! Seul un détail m'avait frappé, je vous raconterai une autre fois quelle importance a eue ce détail pour mes débuts en peinture... Mais il était dit que Céret ne me lâcherait plus. Manolo s'installa dans cette petite ville, et c'est lui qui m'y attira de nouveau et m'y fixa pour quelque temps, les trois dernières années avant la Grande Guerre. À ma suite, toute la bande a déboulé, vous les connaissez, ils sont devenus célèbres, Juan Gris, Braque, Auguste Herbin, Max Jacob, Kisling, Picabia.

« Et puis, *basta !* Ça suffit comme ça, j'ai l'air de faire un cours.

Nos efforts conjugués échouèrent à lui rendre sa bonne humeur. Sombre, buté, l'œil éteint, il avait sa tête des mauvais jours. Évoquer ce passé ne lui était pas agréable. La mort de Juan Gris, à quarante ans, il ne s'en était jamais remis. Moins lié avec Picabia et avec Kisling, le fait qu'ils venaient de mourir coup sur coup, presque simultanément, le premier à soixante-quatorze ans, le second à soixante-deux ans, cette coïncidence agissait sur lui avec la force d'un présage. Il était arrivé à cet âge où la mort d'un contemporain incite à faire des calculs sur soi-même et à supputer ses propres espérances de vie. Il ne consentit à reprendre le fil de son histoire que le lendemain, quand Aimée, toujours prévenante, lui eut dit qu'elle aimait beaucoup Céret.

— Nos recherches portaient alors sur la structure, le fond articulé des choses, l'agencement invisible qui soutient une forme quelle qu'elle soit. Rien ne pouvait nous encourager davantage que cet entassement de cubes appelé Céret, cet agrégat de maisons carrées, dépourvues d'ornements, hautes, pressées l'une contre l'autre, presque sans fenêtres, ou avec des fenêtres minuscules, maisons d'un seul bloc, opaques, masses brutes pour ainsi dire. Les collines, géométriques, tout autour, le Canigou, qui borne l'horizon, raide, austère, muraille de roc dressée contre le ciel, augmentaient la force de ce décor en nous interdisant tout dérapage vers l'impressionnisme. Soutine est arrivé plus tard à Céret, il s'est saisi des façades et des platanes pour les tordre avec une violence exacerbée par la peur de faire du Monet, du Pissarro, lui qui venait de la Russie de Dostoïevski et dont le seul maître était Van Gogh. Quant à Matisse et à Derain, ils ont préféré Collioure. Voyez-moi ça !... Le pittoresque maritime !... Ils avaient la manie de chercher l'inspiration en regardant par la fenêtre, comme si du large pouvait venir autre chose qu'une vision molle, informe, déstructurée de l'univers...

Tous, autour de la table, voulurent en savoir plus sur le Matisse de cette époque. Visiblement contrarié, il fit un effort pour nous répondre. Il n'aimait pas revenir sur leur rivalité d'autrefois.

— Il me racontait qu'il était arrivé seul, par le train, à Collioure, un matin de mai, quand les genêts et les ajoncs étaient en fleur, jaune éclatant, jaune d'or. Le vert vif des vignes tapissait le flanc des coteaux au-dessus du village. Il avait vu les chênes-lièges bourgeonner de mille petites feuilles luisantes, et leurs premiers fruits pendre aux branches des orangers. Le jardin de l'auberge regorgeait de poivrons, d'aubergines, de citrouilles, qu'il se promit de mettre dans ses tableaux... Cet étalage de couleurs l'avait séduit, le pauvre... Quelle idée de se laisser embobiner par du folklore botanique... La couleur est ce qu'il y a de moins important dans la peinture. Tout ce papillotement inutile... Que de peintres se sont perdus à faire des paysages !

— Le vieux pont de Céret, dis-je, était le maximum de pittoresque que vous vous accordiez.

— Et encore, c'est quelque chose d'âpre que ce pont, de compact, de dur, un arc jeté sur le ravin, un jointoiement de pierres sèches, à décourager les effets.

— Manolo l'avait baptisé : pont du Diable, pour son aspect sauvage, rendu encore plus farouche par le fracas du torrent.

— Maria, comme votre civet de lièvre est savoureux ! s'exclama-t-il soudain.

Cette boutade fit rire la tablée. Sauter d'un exposé aussi intéressant sur les origines du cubisme à une saillie de gamin, quelle jeunesse d'esprit ! J'ai jeté un coup d'œil à Aimée. Nos regards se croisèrent. S'il cherche à *faire jeune*, pensâmes-nous au même moment, c'est qu'il se sent vieux.

— Vous nous régalez, Maria. Tremper du pain de maïs catalan dans la sauce de ce ragoût, je donnerais pour une seule de ces bouchées tous les festins que le brave Kahnweiler organise les soirs de vernissage.

Je lui dis que le civet de lièvre à la mode de Perpignan était une recette de madame Matisse, Amélie, native du Boulou. Que n'avais-je tenu ma langue ! Il se rembrunit à nouveau, au souvenir de son antagonisme avec les peintres de Collioure, et en particulier des attaques de Matisse contre sa peinture. Je le vis hésiter entre la rancune contre l'ancien adversaire et la pitié pour le vieil homme de quatre-vingt-quatre ans, peut-être à l'agonie au moment où nous parlions.

— Vous ne nous avez pas tout dit sur Manolo, fit Aimée, pour dissiper le froid que j'avais jeté.

— Totote, rétorqua-t-il, il n'y a que toi qui peux nous parler comme il faut de ton mari.

— Soit, Pablito. Dans une église, il partait toujours à la recherche d'une statue de sainte Rita. Incroyable était la vénération qu'il vouait à cette sainte, patronne des causes désespérées. Il avait une foi absolue dans son pouvoir. Elle seule avait le secret de rétablir une situation apparemment sans issue. Elle sortirait de prison un assassin, se plaisait-il à dire, elle revisserait sa tête sur le corps d'un décapité. Le frère de Manolo était un des plus fameux pickpockets de Madrid, et lui-même, avant de me rencontrer, vivait d'expédients plus ou moins licites. Un jour, pour obtenir un appartement dans une HLM, il a juré devant l'alcade qu'il était marié et père de trois enfants. Pour apitoyer le magistrat sceptique, il ajouta un vieux père à sa charge.

— Est-il bien convenable d'évoquer cette friponnerie à notre retour du cimetière ? dit Aimée.

— Manolo aurait adoré qu'on se souvienne de lui pour ses farces. En Espagne, on aime devant un mort à se souvenir de ses moments de gaieté. Nul besoin de prendre un air emprunté comme en France.

— En Espagne, a dit Paul pour placer un mot, on enterre même une sardine, puisque Goya a peint ses funérailles.

— Savez-vous – ai-je repris à la hâte pour éviter qu'on s'interroge sur le mauvais goût de cette remarque – comment il a réussi à quitter l'Espagne pour venir à Paris ? Il faisait son service militaire à Barcelone dans la cavalerie. Son régiment devait partir pour Cuba. Sous le prétexte d'aider les insurgés à prendre leur indépendance de l'Espagne, les Américains saisissaient l'occasion de faire main basse sur les plantations de canne à sucre, de tabac et de café. Il n'avait pas la fibre militaire, Manolo ! Il se fichait pas mal que l'Espagne perde sa colonie et que les Yankees en profitent pour s'engraisser ! Il voulait s'installer à Paris et y devenir sculpteur comme son ami González. Julio González, vous savez ? celui qui a introduit le fer forgé dans la sculpture. Il poussa son cheval jusqu'au Perthus, traversa en douce la frontière en contournant par la montagne le fort Vauban, vendit son cheval et son uniforme à un gendarme de Perpignan. Arrivé à Paris, il n'avait déjà plus le sou. Il visita toutes les églises à la recherche d'une statue de sainte Rita. Mais en France, apparemment, ce culte n'a aucun adepte, et personne ne songe à élever une statue à la patronne des causes désespérées.

Paul intervint à nouveau pour déclarer gravement que ce culte ne peut exister que dans des pays dépourvus d'institutions démocratiques, où il n'y a d'autre recours contre le besoin que la superstition.

— Rita, précisa-t-il, était une Italienne. Elle a même un lieu de dévotion à Naples, c'est tout dire, l'église Sainte-Rita, en plein cœur de la ville, où les pauvres gens se ruinent en fleurs pour invoquer son aide. En France, quand on est dans l'embarras, on va s'inscrire au chômage ou remplir à la mairie une demande de logement social.

Tout le monde sourit à cette remarque, Aimée rougit du prosaïsme de son mari. Il se pique d'esprit fort, parce qu'il possède un Voltaire et un Rousseau complets, cadeau de son père qui les lui a laissés quand il s'est retiré à Nice. Le comte Théophile de Sorrède voulait faire oublier par sa bibliothèque que son ancêtre avait pleuré le jour de la décapitation de Louis XVI. Le portail de son hôtel était resté fermé pendant un an. Ce trait plut à notre hôte.

— Les Grands d'Espagne, nous dit-il, condamnent l'entrée d'honneur de leur palais après la mort du chef de famille. Cette interdiction n'est levée qu'au bout d'un an. Ils n'utilisent pendant ce temps que la porte de service, sans tirer la cloche pour se faire annoncer.

Le comte Théophile, selon Paul, mettait une chemise à boutons noirs chaque 21 janvier, mais croisait devant cette chemise les pans de sa veste pour ne pas se faire mal voir de Perpignan, ville de bourgeois républicains.

— Continue, Totote.

Il m'aime bien, à cause de mes cheveux blancs, de mes lunettes, de ma peau tannée, ridée, burinée, et de mon air sévère de vieille paysanne.

— Tu ressembles à une institutrice, a-t-il l'habitude de me dire. Avec toi, la question du désir ne se pose pas. Comme c'est reposant, de se trouver en présence d'une femme sans se demander si on ne va pas perdre la face en ne tentant pas sa chance avec elle !

J'ai donc repris mon récit et raconté comment, à force d'entrer dans les églises de Paris, Manolo s'était avisé d'un manège qui l'avait intrigué. Une femme debout contre un pilier s'avançait au-devant des visiteurs, les conduisait à une chaise, retirait la chaîne et se faisait donner en échange quelques pièces de monnaie. Le même jour, il avait observé, dans deux autres églises, la même façon de procéder. Une femme attendait les visiteurs, leur demandait s'ils ne voulaient pas s'asseoir sur une chaise pour être en mesure de prier avec plus de commodité ou simplement jouir plus agréablement de la fraîcheur de l'église et du bon parfum de l'encens. Sans attendre la réponse, elle ôtait le cadenas d'une chaise, la poussait devant eux et tendait sa main ouverte. Manolo avait constaté que les clients les plus sensibles à ces boniments étaient les touristes italiens, malheureusement assez pauvres eux-mêmes. Voilà une façon agréable de ne pas ressortir les poches vides, s'était-il dit ; agréable et satisfaisante pour la conscience. Je ne serai pas le mendiant espagnol classique, puisque toute peine mérite salaire. Muni du passe-partout de cambrioleur que lui avait donné son frère, il recommença la tournée des églises, en se cachant derrière un pilier pour attendre les visiteurs italiens. Les pourboires qu'il retirait de ce commerce suffisaient à sa subsistance quotidienne dans une chambrette sous les toits...

— Jusqu'au jour, ah ! quel beau souvenir vous me remettez en mémoire ! jusqu'au jour où la chaisière officielle, cachée derrière un pilier voisin, le surprit et le menaça de le dénoncer à la police. C'était à Saint-Germain-l'Auxerrois, en face du Louvre, par un bel après-midi où le rayon du soleil déclinant traversait la verrière... On entendait le bruit des remorqueurs sur la Seine... Le rayon tomba juste sur nous et nous entoura comme d'un halo... La cloche de six heures sonna... Les coups s'égrenèrent avec une lenteur solennelle... Si je m'en souviens ! Car la chaisière, c'était moi, réduite à gagner ainsi ma vie après la mort de mon père que la pauvreté avait chassé d'Espagne. La sirène d'une voiture de police, qui recouvrit nos voix au moment où je lui disais mon nom et où il me disait le sien, escamota les présentations... La petite clef tomba de mes mains et rebondit sur le dallage avec un bruit qui tinte encore à mes oreilles. Nos partîmes bras dessus bras dessous sans savoir qui nous étions… Nous étions deux Espagnols, mais il aurait été turc que je ne l'aurais pas lâché… La suite, vous la devinez… Je gagnais si peu d'argent, et lui se révéla si incapable d'inventer un nouveau stratagème, qu'il nous fallut quitter Paris et trouver à nous loger moins cher. Il se rappela Céret où il avait vendu son cheval et son uniforme, c'était à la frontière espagnole, j'étais heureuse de me rapprocher de mon pays, nous nous y sommes fixés, je n'en bougerai plus.

7

Céret

Les allusions à son premier séjour à Céret nous avaient tous intrigués. Nous profitâmes d'un jour où il était d'humeur plus sociable pour y retourner avec lui, entassés à sept dans sa grosse voiture dont il avait fallu déplier les strapontins. Auguste Herbin, un des anciens du Bateau-Lavoir, de passage à Perpignan, nous accompagnait. Par exception, je conduisais, au lieu de Paulo.

— Ce qu'Auguste a vieilli ! me glissa Pablo à l'oreille, ai-je l'air aussi décati ?

La veille, il avait reçu une énorme caisse, que Paulo et l'oncle Alphonse avaient déclouée avec peine. Le torticolis attrapé par l'oncle Alphonse l'empêcha de venir avec nous à Céret. Les hommages et les présents arrivaient à Pablo du monde entier, mais jamais aussi voyants. La caisse contenait une couronne de laurier large d'un demi-mètre et six bouteilles de caïpirinha, emballées dans un mètre cube de paille au milieu d'un flot de rubans. Une admiratrice brésilienne avait eu cette pensée. Agacé de ce cadeau dont Salvador Dalí eût été flatté :

— Reconnaissez, chère Aimée, me dit-il, qu'il faudrait être d'une excessive vanité pour ne pas avoir envie de retourner cette caisse à l'expéditrice. Je déteste l'adulation par principe, surtout quand elle vient d'une femme qui n'a peut-être pas vu un seul de mes tableaux.

Maria le tira d'embarras en se penchant sur la caisse d'où elle tira une feuille de laurier pour la toucher et la renifler. Elle passa dessus sa langue, des deux côtés.

— Mais c'est du vrai laurier ! s'exclama-t-elle. Du vrai de vrai ! Pensez comme ça fera bien dans mon ragoût de taureau !

Il rit de cette naïveté, qui lui rendait encore plus cher un plat dont il raffole.

Nous partîmes pour Céret. Les villages que nous apercevions de la route sont français de nom, mais construits à la manière des villages espagnols, comme il nous le fit observer. Les lignes des maisons ne suivent pas le profil des collines, mais semblent découper le paysage. Il y a là comme une rébellion de la pierre, le refus de se conformer à la nature, la volonté de rompre par des arêtes et des pointes l'harmonie du décor.

— Une insurrection qu'on pourrait dire *cubiste*, ajouta-t-il en riant.

Nous laissâmes la voiture dans le parking des Tins et continuâmes à pied vers la rue des Tins et le boulevard Joffre. La première maison qui se présente a des balcons curieusement travaillés. Des frises sculptées ornent le pourtour des fenêtres. Dans le linteau de la porte, on distingue des rosaces, une coquille, une tête de lion tenant dans sa gueule un anneau. L'écusson contient, en manière de blason, deux lettres capitales entrelacées, un P et un C.

— Vous voyez la seule maison armoriée de Céret, nous dit-il, la seule maison riche, dans cette ville assez pauvre. Et encore, ils n'ont pas eu assez d'argent pour empêcher la gouttière de dégringoler le long de la façade.

— On remarquerait moins cette gouttière, dit Herbin, si elle tombait verticalement, mais elle doit faire un coude pour contourner le linteau de la porte, ce qui enlaidit l'effet d'ensemble. Ces Catalans semblent ignorer la valeur de leur patrimoine.

Qu'étaient donc ces deux lettres du blason, ce C et ce P, ou ce P et ce C ? Pablo avait consulté autrefois en compagnie de Herbin les archives à la mairie. Aucune de leurs recherches n'avait abouti. Chacun y alla de ses fantasmes. Prince Charmant, pour Rosita, vierge à trente-cinq ans. Charles Premier pour Paul, féru comme il est de rois décapités. Pierre de Cambrai, pour Herbin, parce que c'est le patron de sa ville natale. Cher Prokofiev, pour Paulo, à qui son admiration pour le compositeur soviétique ôtait le sens commun. Comte de Perpignan ou Perle Catalane, pour moi qui manque d'imagination. Il mit fin à nos divagations en laissant tomber d'une voix lugubre :

— P et C : *Pobre Casagemas*. Carlos Casagemas, avec qui j'ai partagé un de mes premiers ateliers dans le vieux Barcelone, suicidé à l'âge de vingt ans, parce que, atteint d'une particularité anatomique fort gênante, un défaut que je m'abstiens de vous nommer tant le mot est laid, il n'osait coucher avec sa fiancée Germaine. Dépitée et déboussolée, celle-ci ne comprenait rien au comportement d'un amoureux qui lui *déclarait sa flamme* (nous nous exprimions ainsi) mais fuyait l'intimité physique. Le soupçonnant de la tromper, exaspérée par ses dérobades, elle le plaqua. Le lendemain, il se tirait une balle dans la tempe. J'avais vingt ans aussi. La tragédie était entrée dans ma vie.

Sous le coup de l'émotion, un peu d'emphase fit trembler sa voix, chose tout à fait inhabituelle. Nous nous sommes faufilés en silence sous la Porte de France, entrée monumentale de la vieille ville, faite d'un arc encastré entre deux grosses tours rondes. Au bout d'un labyrinthe de ruelles, nous avons débouché sur la place des 9 Jets, centre géométrique de la vieille ville. De la fontaine dressée au milieu, l'eau jaillit par neuf petites bouches percées dans le pilier au sommet duquel trône un lion assis. Nul autre bruit qu'un murmure d'eau courante. Ombragée de trois platanes séculaires, la place dessine un carré presque régulier. Une terrasse de café-restaurant occupe un des angles. Je connaissais bien cet endroit, où Paul, quand il me faisait la cour, m'invitait à dîner, mais je ne m'étais jamais interrogée sur ce nombre 9. Pablo avait son idée, lui, sur ce nombre et sur ce lion.

— Quand je me suis installé à Céret, j'ai loué au dernier étage de cette maison (il nous montrait la plus belle maison de la place, au numéro 1) une chambre très peu chère parce que l'eau n'arrivant pas jusqu'en haut, je devais me ravitailler à la fontaine. Remonter quatre étages d'un escalier aussi raide qu'une échelle en portant deux brocs remplis à ras bord, ce n'est pas *mucho gusto*, croyez-moi. Mais, de ma fenêtre, j'avais l'immense avantage de voir ces neuf jets. *Neuf*, comprenez-vous ? Pour celui qui voulait faire du *neuf*, c'était un encouragement formidable. Cette homonymie n'est pas aussi parfaite en espagnol. *Nueve* n'est pas *nuevo*. Le calembour est impossible. J'apprenais le français. Je fus enthousiasmé d'une langue si propice aux jeux de mots.

Paul le regarda ébahi.

— Quant au lion, continua-t-il, il exprime la fierté espagnole. La fontaine date du quinzième siècle ; le roi Ferdinand II d'Aragon, qui venait d'épouser Isabelle de Castille et de réunir par ce mariage les deux royaumes, fit couronner le pilier d'un lion, emblème de la Castille. Le lion était tourné vers le sud, vers l'Espagne, il résumait le courage intrépide, la force tranquille, la détermination indomptable du peuple espagnol. Sur cette place, deux siècles plus tard, furent discutés et mis au point les termes du honteux traité des Pyrénées, qui livra la moitié de la Catalogne à Louis XIV. Pour renforcer leur mainmise sur leur nouveau territoire, qu'ils baptisèrent Roussillon, les Français firent pivoter le lion, afin qu'il tourne la tête vers le nord, vers la France, en signe d'allégeance à ses nouveaux maîtres. Vous pouvez lire encore sur le socle l'inscription gravée à cette occasion :

Venite, Cerentes, leo factus est gallus

— Ce qui veut dire ? demanda Rosita.

— Venez, habitants de Céret, le lion s'est fait coq, le lion s'est fait gaulois. Ah ! le jeu de mots, pour le coup, est infâme ! Heureusement, une émeute des habitants fidèles à leur passé historique a forcé la municipalité à rendre au lion sa position originelle. On l'a fait pivoter de nouveau, il tourne la tête, désormais, vers le sud. Il regarde du côté où il est né.

Je ne le savais pas aussi attaché à l'Espagne, aussi fier d'être espagnol. Je n'étais pas à la fin de mes étonnements, car il tint à toute force, lui l'agnostique, l'athée, l'anticlérical, dont le soutien des évêques à Franco a renforcé sa haine des prêtres, à nous conduire par une petite rue tortueuse jusqu'à l'église, dédiée à saint Pierre, qui n'est pas l'apôtre, comme le prétendent les Cérétans, mais le plus modeste Pierre de Castelnau, archidiacre de Maguelonne, envoyé par le pape comme légat apostolique auprès des Cathares. Sa mission échoua, il fut assassiné en Albi par un de ces hérétiques.

Le portail en marbre gris tranche sur la façade restée en briques nues. Ce portail est orné de deux pyramidions et se termine par une niche qui contient sous un fronton brisé la statue du saint.

— P et C, s'écria Totote, la seule tout à l'heure à ne pas s'être exprimée, P et C, mais c'est Pierre de Castelnau !

Il était improbable que la belle maison Art Nouveau de la rue des Tins se fût recommandée de ce personnage oublié, mais aucune de nos suggestions n'étant plus plausible, d'un commun accord nous félicitâmes Totote de sa clairvoyance.

Ayant hâte de nous montrer l'église, Pablo nous poussa à l'intérieur.

— Tout y est fondé sur le nombre 7, qui est celui des jours de la *Création*. Vous pensez bien qu'un peintre qui se veut *créateur* d'un monde est un adorateur du 7.

Il nous cita les 7 étoiles de la Grande Ourse, les 7 merveilles du monde, le chandelier à 7 branches des Juifs, les 7 couleurs de l'arc-en-ciel, les 7 passes exécutées par le matador avant la mise à mort du taureau, les 7 têtes de la bête de l'Apocalypse.

— Le 7 est la marque, le chiffre, l'estampille, le sceau de tout ce qu'il y a de beau, de grand, de terrible. Comptez les coupoles de cette église, il y en a 7, une coupole centrale et 3 plus petites au-dessus de chacune des nefs latérales. L'orgue est riche de 7 fois 14 tuyaux, et le carillon dans le clocher dispose de 7 cloches. Paulo, toi le spécialiste en musique, dis-nous l'étendue de leur gamme.

— Elles vont du sol dièse au do par le si, le fa, le sol, le la et le si bémol, dit Paulo, maussade, parce que ce jour-là son père avait eu le caprice de me confier le volant de l'Hispano-Suiza.

Je rapporte leur dialogue, au moment du départ de Perpignan, consciente que le lecteur m'accusera d'écorner l'image du grand homme.

— Papa, laisse-moi vous conduire, j'en ai tellement envie !

— C'est justement parce que tu en as *tellement envie* que tu ne nous conduiras pas. Faire ce qu'on veut mène à l'insignifiant. Une autre fois, ne me donne pas une occasion aussi facile de te punir. Quiconque revendique pour soi la liberté d'en faire à sa tête n'aura jamais mon appui. J'ai refusé de signer un appel d'artistes américains en faveur de la liberté de l'art, parce que l'art n'est pas quelque chose qu'on doit laisser à la disposition du premier venu. Il faut le dérober, comme Prométhée a dérobé le feu. Seuls les bons à rien, les nullards se gargarisent de liberté.

Paulo était resté penaud, et moi, à qui les Sartre et les Camus rabâchaient le contraire, ahurie. Ni l'un ni l'autre n'étions sûrs d'avoir bien compris ; ni certains qu'il ne nous avait pas menés en bateau par une de ces mystifications dont il est coutumier.

Il sortit de l'église. Elle contient des trésors, de beaux retables de bois doré au-dessus des autels, des gisants en bois coloré. Mais lui ne montre pas grand goût pour les œuvres « ecclésiastiques », comme il dit. Fétichiste des nombres, il ne s'intéresse dans cette église qu'à la répétition du 7, à l'esprit d'abstraction qui a conduit à disposer par 7 et par des multiples de 7 les coupoles, les tuyaux d'orgue et les cloches.

Il nous fit faire un détour jusqu'à une place plantée d'arbres, longue et large, en dehors de la vieille ville. Quel génie, nous dit-il, avait-il fallu à Soutine pour transformer les platanes, sagement alignés sur deux rangs, en torches vives courbées par la démence d'un ouragan ! Nous dûmes ensuite le suivre dans son pèlerinage aux lieux qu'avait habités le jeune Russe pendant les trois années de son séjour à Céret : l'ancien hôtel Garreta, rue Saint-Ferréol, puis le 9 rue de la République, auprès de la famille Cortie, enfin le 5 rue Pierre-Rameil, chez une dame Laverny que, faute d'argent pour payer son loyer, il dédommageait par le don d'une toile tous les trois mois. Un jour où l'on tuait le cochon, la vitre de sa fenêtre se cassa sous les hurlements de la bête. Il cloua à la place un de ses tableaux, qui fut porté à la décharge par le vitrier appelé à remplacer le carreau.

— J'aime mieux les paysages de Soutine, dit Herbin, que ses quartiers de viande. C'était un poète, alors, pas un boucher.

— Oui, renchérit Paul, l'oncle Alphonse l'a bien dit : quel dommage que sous l'influence de Rembrandt il ait changé de sujets pour se mettre à peindre des gigots et des côtes de bœuf.

— Connerie, dit Pablo. Il n'a découvert Rembrandt que bien plus tard. Les cris de ce cochon égorgé vivant, le spectacle de son agonie, avaient marqué à jamais le jeune homme de vingt-cinq ans. Il avait pris de cette atrocité à la fois le dégoût de la viande saignante et le besoin compulsif de la peindre.

— Je ne comprends pas, dit Paul. C'est l'un ou l'autre, le goût ou le dégoût.

— Oubliez-vous son origine ? Un Russe est attiré précisément par ce qui lui fait le plus horreur.

8

La fontaine bleue

Le plus étonnant de cette journée restait à venir. Un labyrinthe de ruelles désertes et silencieuses nous ramena vers la rue des Tins. Céret se protège de la chaleur par des fenêtres si petites que les maisons, comme il nous l'avait dit, forment un seul bloc, ramassé et compact. Elles ressemblent, c'est vrai, à des *cubes*. Rue des Tins, il nous arrêta devant la Porte de France, pour attirer notre attention sur un détail que je n'avais jamais remarqué, ni aucun de nous apparemment. Nous étions passés sous cette porte avec lui, mais il ne nous avait rien dit alors, voulant nous réserver pour la fin la surprise.

Sur une des deux tours rondes qui flanquent l'arc d'entrée, est fixé un bas-relief de bronze, rectangulaire, de petites dimensions. La légende « Fontaine Villanove », gravée au-dessous de la sculpture, indique qu'une fontaine aujourd'hui tarie coulait à cet emplacement.

— Approchez-vous, regardez chaque détail, nous dit-il, d'un ton bizarrement impératif, comme si nous risquions de passer à côté d'une révélation importante.

Je vis trois femmes groupées autour de l'orifice d'un tube. La plus jeune tient une sorte d'amphore qu'elle remplit à l'eau censée jaillir de ce tube. Les deux autres, jeunes aussi, se penchent au-dessus de leur compagne pour veiller à l'opération. Toutes les trois ont un maintien sérieux, des traits réguliers, des visages allongés, des yeux en amande, des nez droits, des cheveux ondulés séparés par une raie, des doigts effilés. Il émane de leur groupe un air de pureté et de mélancolie saisissant. Elles ne semblent pas s'acquitter d'une tâche utilitaire, mais pratiquer un rite secret venu du fond des âges, qui requiert patience, douceur, abnégation. L'eau qui remplit l'amphore n'est pas seulement une eau à boire, mais une onction lustrale qu'elles s'apprêtent à répandre sur le monde. Pénétrées de l'importance de leur mission, elles sont plus graves que tristes. La plus jeune porte un corsage, les deux autres montrent un sein qui émerge, rond et poli, de leur tunique à longs plis, sans que cette nudité porte à d'autres idées qu'à un immense respect de la femme et de la fonction maternelle.

— Mais regardez donc la couleur de ce bronze ! dit-il, impatient d'avoir notre réaction. En connaissez-vous beaucoup de cette teinte bleuâtre ?

Totote le regarda d'un drôle d'air, comme si elle lui reprochait de vouloir se moquer de nous, par une plaisanterie qu'elle trouvait un peu longue.

— Le bronze ordinairement est vert ou brun. Celui-ci est bleu, continua-t-il, de cette nuance délicate et tendre que les poètes appellent lunaire. En 1901 (Totote ouvrit la bouche pour protester, mais il la fit taire d'un regard), en 1901, lorsque, sur la route de Barcelone à Paris, j'ai fait halte pour la première fois à Céret, je suis devenu fou de cette fontaine et du bleu de cette fontaine.

À l'instant la lumière se fit en moi, et je vis défiler en esprit toutes les figures allongées et pâles, aux doigts fins et longs, qu'il avait peintes à cette époque. Cette fontaine serait-elle donc… ?

— Oui, oui, Aimée, elle est à l'origine de ce qu'on appelle ma « période bleue ». C'est en contemplant tous les jours ces trois femmes si recueillies, si graves, si pudiques, leur noblesse résignée, leur abnégation craintive, que j'ai pris l'idée d'allonger mes figures, de leur donner cette dignité de vestales, cette expression rêveuse, et de les colorer en bleu. Que d'âneries ai-je lues sous la plume des critiques dont aucun ne s'était donné la peine de venir à Céret !

Sur le chemin du retour, lancé sur ce sujet, attendri par le souvenir de ce premier séjour, remonté contre l'étourderie ou l'incompétence des critiques, il nous mentionna quelques-unes de leurs bévues, consignées dans un calepin qu'il sortit de sa poche pour nous faire les témoins de leur sottise.

— De fameux bélîtres, ces soi-disant connaisseurs ! Comme ils n'ignorent rien des milieux où ma pauvreté me confinait, ils déduisent mes partis pris en art de la nature de mes fréquentations.

Le soir, il me prêta ce calepin.

Eugène Marsan : « C'est le bleu de la misère et des haillons, le bleu de la faim, qu'on ne comprendrait pas sur des personnages moins sous-alimentés que ses pauvresses, ses ivrognes et ses saltimbanques. » André Salmon : « A-t-on jamais mieux rendu l'atmosphère typique qui règne dans les bars de nuit parisiens éclairés à la lueur bleuâtre de quinquets fumeux ? » Charles Morice : « C'est le bleu de la désespérance, de la mort, le témoignage poignant d'un artiste qui ne réussit pas à vendre et appelle au secours. » Christian Zervos : « C'est le bleu d'une humanité en marge de la joie, un bleu qui ne vaut que par sa valeur humaine de solidarité avec les laissés-pour-compte et de compassion pour les gens du cirque, les forains, les nomades. » L'Italien Cesare Brandi, plus futé bien que lui aussi à côté de la plaque : « Il ne faut pas voir dans cette couleur bleue quelque souvenir de la misère des gens qu'il a côtoyés, mais une mutilation volontaire, un manifeste contre le chatoiement polychrome des impressionnistes, une déclaration de guerre aux ambiances de sous-bois, de déjeuners sur l'herbe et de moulins de la Galette. »

Seul Apollinaire avait vu juste : « On a dit que ses œuvres témoignent d'un désenchantement précoce. Je pense le contraire. » Incomparable Guillaume ! selon une note de Pablo. « Lui avais-je confié l'*enchantement précoce* dont j'avais été saisi devant la fontaine Villanove de Céret ? »

Quant à Jaume Sabartés, pourtant un de ses plus vieux amis catalans, il s'était surpassé dans le tarabiscotage, à force de se triturer la cervelle pour nier le rôle de l'autobiographie dans ses tableaux et les expliquer par la seule *raison esthétique.* « La tonalité grisâtre tendant au bleu paraît être une conséquence de la nécessité inéluctable d'atteindre les entrailles de la forme, pour amener à la surface de la peau ce qui se cache dans le silence de la douleur et de la misère. »

— *Les entrailles de la forme*, n'est-ce pas à se tordre ? me dit-il quand je lui rendis le calepin.

Le sympathique Pierre Daix, qu'il qualifiait de *plus récent de ces olibrius*, avait cherché lui aussi à nier toute influence des expériences vécues : « Le bleu est chez lui la première transgression aussi affirmée des apparences sensibles. »

— Eh non, cher jeune ami, le bleu a été chez moi la simple transcription du bleu de cette fontaine dont *l'apparence* avait frappé ma *sensibilité.* Foutaises que toutes les autres explications.

— Pourtant, protestai-je, vous avez avoué à ce même Pierre Daix le rôle déterminant du suicide de Carlos Casagemas, votre ami de jeunesse. Vous avez peint en bleu son enterrement, en bleu le cercle de ses amis autour de son corps allongé par terre, en bleu cette terre elle-même, parce que c'est la couleur qu'on prête aux cadavres.

— Moi, je lui ai dit ça ? Je devais bien le contenter, ce jeunot. « Son bleu est d'abord psychologique », répétait-il à longueur d'articles. Je n'avais pas envie de lui révéler mon éblouissement devant une simple fontaine de village, œuvre d'un artiste anonyme, principe unique de mon inspiration pendant deux ou trois ans. Pourquoi faire du bleu une couleur triste, une couleur de deuil ? C'est la couleur de la beauté absolue, j'aurais pu la trouver chez Piero della Francesca, si je l'avais connu à cette époque, le bleu de la robe de la Madonna del Parto, le bleu du ruisseau où l'on baptise le Christ, le bleu métal, le bleu mental, bien que ces bleus italiens n'atteignent pas à la simplicité sublime du bleu catalan de cette fontaine.

Totote, qui nous écoutait en refrénant son impatience, n'y tint plus.

— Arrête, Pablo. Assez de tes salades ! En 1901, cette fontaine n'existait pas !

Totote étant l'honnêteté même et la mémoire, en quelque sorte, de cette époque, je fus médusée de sa sortie. Paulo, qui nous avait rejointes, jeta à son père :

— Menteur, tu as tout inventé !

Il ne se démonta pas pour autant.

— Bien sûr, s'exclama-t-il en riant, qu'elle n'existait pas. Elle est beaucoup plus récente. C'est l'œuvre de mon ami Pallaro, qui s'est inspiré de mes tableaux de la période bleue pour faire un *à la manière de…* Et alors ? Les influences en art ne suivent pas l'ordre chronologique. Une œuvre nouvelle peut très bien s'inspirer d'une œuvre qui n'existe pas mais qui existera, amenée à l'existence par la première dont elle ne sera plus alors la copie mais au contraire le modèle. Me suis-je expliqué clairement ? Si aujourd'hui vous traitez de supercherie mon histoire, dans cent ans, dans cinquante ans peut-être, il sera avéré que j'ai puisé à cette fontaine l'idée de peindre en bleu. Pourquoi chercher toujours des enchaînements de cause à effet ? Pourquoi voulez-vous que le passé précède obligatoirement le présent, au lieu, par exemple, de le suivre ? L'avant et l'après, découpage arbitraire du temps ! L'univers, dans son ordre impénétrable, se moque de nos instruments de mesure. Ces trois femmes et cette cruche étaient dans mon esprit avant d'être coulées dans le bronze ; la fontaine était là (il se toucha le front), et peu importe que quelqu'un ait eu envie plus tard de la réaliser. J'ai toujours été fasciné par ce peintre hollandais qui peignait des villes en feu qu'il n'avait vues qu'en rêve, avant de périr lui-même dans l'explosion d'une poudrière. Ce qui n'existait que dans son imagination s'est mis à exister pour de bon. La poudrière a explosé pour apporter la preuve que l'art prend pour modèle une réalité à venir.

Puis, quand Paulo, outré, eut claqué la porte :

— J'ai une idée ! Racontons à l'oncle Alphonse cette histoire de fontaine, sans lui dire qu'elle est complètement inventée. Il y croira dur comme fer, il l'inclura dans sa biographie, sa biographie fera autorité, et c'est ainsi qu'une pure fiction passera pour un fait authentique. Mais chut ! Qu'il ne se doute de rien !

Abuser aussi effrontément de la crédulité d'un homme peut-être scolaire et maladroit mais appliqué, honnête, l'induire sciemment en erreur pour se moquer ensuite de ses bourdes, nous parut bien cruel. Nous promîmes néanmoins le secret.

— S'il rouspète quand on l'aura démasqué, reprit Pablo, nous lui sortirons son distinguo entre *l'Être* et *le Néant*, *l'en-soi* et *le pour-soi*. *Le Néant* de la fontaine faisait partie de *l'Être* de Pablo. *En-soi*, la fontaine date de 1950, mais *pour-Pablo*, de cinquante ans plus tôt !

9

Paulo

Cette expédition à Céret fut sans doute le dernier bonheur de son séjour à Perpignan. Totote, la seule autorisée à faire son ménage pendant qu'il sort promener Witty au bord de la Têt – unique distraction qu'il se permet –, est redescendue ce matin bouleversée par les dessins qu'il avait oublié de cacher. Une douzaine d'esquisses aux crayons de couleur ou à la plume jonchaient le tréteau qu'il utilise pour mettre au point ses projets de tableaux. Un même thème, m'a-t-elle dit consternée, donne lieu à des variations qui toutes traduisent l'idée noire, pour ne pas dire l'obsession, qui a pris le dessus dans son esprit.

— Imagine un homme, gros, adipeux, assis *baba* devant une jeune femme, nue, *élastique*, représentée dans des poses, heu!... (elle n'arrivait pas à lâcher le mot). Je n'ai pas réussi à mettre un visage précis sur cette femme. Elle tient un peu de Françoise, c'est certain, mais c'est plutôt une idée de la femme, une idée de la jeunesse et de la beauté de la femme jeune. À quelles acrobaties il l'a soumise! Renversée en arrière, les cheveux dénoués, les bras en arc de cercle, les seins projetés par la cambrure, elle étale sous ses yeux... Enfin, tu me comprends. Lui, également nu, on le reconnaît, hélas ! parfaitement, sauf qu'il s'est grossi et enlaidi à souhait. Bourrelets qui plissent sur l'abdomen, nombril enfoui dans la graisse, barbe en forme de collerette, œil réduit à la minuscule pointe d'épingle d'un voyeur à l'affût, il est fichtrement pas beau à regarder. Avec l'air tantôt d'un clown, quand il se coiffe d'un petit chapeau pointu, tantôt d'un singe, poilu jusqu'aux épaules, tantôt d'un satyre dont les cornes seraient *normales* si elles n'avaient ici une signification trop éloquente, il varie les mines et les postures : mais toujours déformé, décrépit, dégoûtant.

« Le sexe, alors qu'il y aurait toute la place pour le mettre, est systématiquement omis, escamoté, comme s'il était trop rabougri pour avoir une chance de plaire. La bouche est fendue dans un rictus obscène. Il se pose quelquefois, par dérision, une couronne sur la tête ; une autre fois, habillé en gitan, il pince les cordes d'une guitare et la régale d'une sérénade, pendant qu'elle se déhanche sans même le regarder. Le plus souvent, assis en tailleur, ce qui ne met pas à leur avantage ses grosses cuisses courtes qu'il a des difficultés à croiser, il est en train de la peindre, pendant qu'elle écarte les jambes... Ah ! j'ai vraiment trop de peine à te raconter ce que j'ai vu. Il s'est fait le visage et le maintien d'un vieux peintre essayant de retenir comme il peut le modèle jeune et exubérant qui se contorsionne pour le fuir…

— Totote, tu n'exagères pas ? Tu sais qu'il aime à faire des séries de tableaux sur le même thème. Cela ne veut pas dire que le sujet l'obsède. Ne nous a-t-il pas annoncé qu'il projette de faire des variations sur *Les Ménines* de Vélasquez ? Vas-tu me soutenir qu'il a peur de devenir un nain ?

— J'aimerais croire que cette série de dessins répond à un projet purement artistique, mais je te le disais l'autre jour : soixante-douze ans, c'est trop vieux pour ne pas prendre conscience de son âge. Si vraiment elle a décidé de le quitter, il n'en retrouvera pas d'autre. L'idée même d'en *chercher une autre* le met dans la situation ridicule d'un barbon de Molière, auteur qu'il garde sur sa table de chevet à côté de *Don Quichotte*. Son album des gravures de Goya, il l'a ouvert à la page des *vieux beaux*.

— Je suis très intriguée. Peux-tu me faire voir un de ces dessins ?

— Aimée, que me demandes-tu là ? Tu sais très bien qu'il ne m'autorise à faire son ménage que parce que j'ai promis le secret absolu. Trouverais-je un tigre dans son grenier, que je ne soufflerais mot de ce que j'ai vu. J'ai été bien trop bavarde, déjà. Motus sur ce que je t'ai dit.

— Je garderai le secret. Mais je ne t'ai pas fait cette demande par curiosité de femme. Ne trouves-tu pas étrange qu'il ait laissé traîner ces dessins et qu'il les ait abandonnés bien en vue sur son tréteau, en sachant que tu ne pourrais pas manquer de les voir et de me rapporter ce que tu aurais vu ? N'a-t-il pas cherché, en quelque manière, à nous faire passer un message ? À nous associer à la crise qu'il traverse ? Je pense en effet qu'il y a un moment où l'on a beau vouloir garder pour soi sa souffrance et en étouffer le cri, on souhaite obscurément que quelqu'un la partage, en silence bien sûr, sans but précis, pour le seul soulagement de ne pas rester seul à en supporter le fardeau.

Totote fut d'accord avec moi.

Ce fut ensuite l'affaire du piano. Nous n'avions à la maison qu'un méchant Electrola. Paul, qui vient de remplacer l'ancien phonographe à manivelle par un appareil à microsillons et d'acheter la série complète des Cortot et des Kempff en nouveaux disques *repiqués*, soutient que la perfection de ces enregistrements ôte le plaisir d'écouter chez soi un pianiste amateur, forcément très inférieur. Mais Paulo, bon musicien, souhaitait disposer d'un vrai piano. Le piano a pour lui une énorme valeur sentimentale : c'est le seul lien *physique* qu'il garde avec sa mère. Il ne la voit plus que rarement – une ou deux fois l'an, peut-être. Bonne pianiste elle-même, Olga lui avait enseigné les rudiments du piano sur un vieux Becker russe. Frapper sur les touches, c'est pour lui retrouver son enfance. Privé de sa mère, Paulo ne lit que des romans russes, des poètes russes, des livres sur les Ballets russes, des biographies de Diaghilev, de Nijinski, de la Pavlova.

Pablo n'aime pas la musique, il dit que c'est du bruit, du temps perdu. Tout ce débinage, évidemment, parce qu'il déteste son ancienne femme.

Mais voilà qu'une circonstance bizarre lui a permis à la fois de répondre au souhait de Paulo et de tourner en ridicule les aspirations de son fils. Craignant que la croisade, dont une certaine Marthe Richard a pris la tête en France, ne fasse des émules en Espagne et n'entraîne leur fermeture, les bordels de la Jonquera, de l'autre côté du Perthus, fréquentés autant par les hommes mariés de Perpignan que par les camionneurs espagnols, ont commencé à mettre en vente leurs pianos. Il vient d'en acheter un pour Paulo, geste qu'on pourrait dire généreux s'il n'était marqué, du fait de cette origine, au signe de la cruauté et du mépris. Ce fils lui rappelle trop Olga. Bien qu'ils soient séparés depuis fort longtemps, elle ne cesse de l'accabler de reproches, de récriminations, de demandes d'argent. Elle envoyait des lettres d'injures à Françoise, poussant l'aigreur et la haine jusqu'à camper rue des Grands-Augustins, devant leur porte, pour l'insulter publiquement.

N'est-ce pas cette harpie qu'il visait, lorsqu'il a organisé pour la réception du piano du bordel une cérémonie parodique ? Il a forcé son fils à inaugurer l'instrument par l'air bouffe de *La Veuve joyeuse* popularisé par Maurice Chevalier. Rosita et Maria ont passé ensuite une matinée à effacer, sur les touches du clavier qui ont dû en voir de belles, les traces innombrables de doigts sales. Paulo n'en est pas moins fort content de pouvoir s'exercer sur les nocturnes de Field et de Chopin. Il continue à privilégier Prokofiev, mais déchiffre aussi des impromptus d'Alexandre Scriabine, musicien inconnu de nous, qu'il a découvert lors de son voyage en URSS.

Le pauvre garçon a bien d'autres sujets de tracas, que de savoir à qui appartenaient les mains qui ont tapoté sur ce clavier. Il ne se demande même pas si le fils d'une ancienne danseuse des Ballets russes n'aurait pas droit à un instrument plus digne. Jacqueline, qui avait observé jusque-là une discrétion exemplaire, semble avoir changé d'attitude. Elle a prétexté la nécessité de lui tourner les pages pour pousser un tabouret à côté de celui de Paulo. Leurs bras, leurs jambes se frôlent. Une fois, leurs épaules se sont touchées. Paulo n'a jamais vu d'un bon œil cette Jacqueline, mais un homme jeune ne peut rester longtemps insensible aux avances d'une jolie brune. Il a d'abord fait semblant d'ignorer son manège pourtant appuyé. Stratégie si incommode qu'il s'est ouvert à moi de son embarras.

— De quoi aurai-je l'air, m'a-t-il dit, si je continue à feindre de n'avoir rien deviné ? Elle s'assoit à côté de moi à table, me ressert à boire, me donne la moitié de son dessert, me suit en promenade, porte les courses dont m'a chargé mon père, profite de toutes les occasions pour me relancer. J' peux pas la blairer, elle m'irrite, je sens qu'il y a quelque chose de faux dans sa conduite, et pourtant j'ai pas envie de faire la figure de

Joseph. Va-t-elle m'obliger à m'enfuir en laissant entre ses mains un pan de ma chemise ?

— Tu as raison, lui ai-je dit, de penser qu'il y a quelque chose de faux dans sa conduite. Avant toi, elle a essayé des mêmes manœuvres auprès de Javier, tu te rappelles comment elle l'a complimenté et applaudi bruyamment quand il a dansé et chanté dans la cour un *goig* traditionnel ? Ce n'était rien d'exceptionnel pourtant. Elle lui a tamponné son visage trempé de sueur avec de petits gestes qui étaient plutôt des caresses. Mais un gitan a ses mœurs et il l'a envoyée promener.

« Quitte à te vexer, Paulo, je crois que ce n'est pas sur toi qu'elle a des visées. Tu n'es pour elle qu'un simple prétexte, comme l'a été Javier. Elle ne s'est servie de Javier que dans l'espoir d'exciter ton père. Son but est de prouver qu'elle est éminemment désirable et pas du tout farouche. Vois le temps qu'elle passe à s'arranger devant le miroir, à essayer de nouveaux maquillages, à changer de robe trois fois par jour. Elle a fort bien remarqué que ton père prend très mal ses assiduités à ton égard. Lui qui ne s'intéressait pas à cette Jacqueline a changé d'avis dès qu'il l'a vue flirter avec toi. Il a poussé de côté l'oncle Alphonse pour s'asseoir près d'elle à table, ce qu'il ne faisait jamais avant. Je suis jaloux, lui a-t-il dit à haute voix, que mon fils accapare l'honneur de vous être agréable. Cette phrase un peu pompeuse aurait dû nous alerter. Il a prononcé avec emphase le mot de *jaloux*, pour se prouver à lui-même qu'il ne l'était pas. Mais elle est assez rusée pour savoir que le meilleur moyen d'attirer un homme est de faire semblant d'en poursuivre un autre. Elle te cherche, mais si tu crois que sa nouvelle coiffure est à ton intention, permets-moi de te détromper. Elle doit avoir eu vent que ton père aimait les cheveux dénoués, car elle a défait son chignon, si serré jusque-là, et laisse désormais ses cheveux flotter sur ses épaules.

— Aimée, je viens de lire *Premier amour* de Tourgueniev. Vous connaissez ce merveilleux et terrible roman ? Serait-il possible qu'elle aussi soit assez perverse pour draguer le fils afin d'avoir le père ?

Les choses n'en sont pas encore là, Dieu merci. Ils en sont à s'observer l'un l'autre, et nous à nous demander ce qui pourra arriver.

10

La lettre

Sur ces entrefaites, est arrivée la lettre à laquelle il s'attendait tout en espérant ne jamais la recevoir. Il l'a arrachée des mains du facteur, parcourue en un instant, froissée, puis dépliée à nouveau, lissée contre le mur du revers de la main, lue attentivement, debout face au mur, relue deux fois, en suivant du doigt les lignes. Puis il est rentré, la mine défaite. Un somnambule n'agit pas plus machinalement. Il m'a tendu la lettre, ce qu'il n'aurait jamais fait en d'autres temps. Françoise Gilot lui annonce qu'elle se sépare de lui. Pour toujours. C'est fini entre eux. *Fini* était souligné d'un double trait rouge. Sans donner de nouvelles raisons, elle laisse entendre qu'elle n'a pas besoin de justifier une décision qu'elle n'a que trop retardée. Il sait très bien pourquoi elle n'attendra pas plus longtemps. Qu'il ne s'en prenne qu'à lui s'il s'obstine à ne pas lui accorder ce qu'elle réclame depuis dix ans. Après les vacances, elle reprendra les enfants qu'elle mettra dans une pension de Rosporden, *grâce à l'argent qu'elle tirera des tableaux.*

— Elle a tout calculé, me dit-il quand il eut recouvré ses esprits. Nous ne sommes pas mariés, mais le code d'honneur catalan stipule qu'on donne la moitié de ses biens à la femme avec qui l'on a vécu pendant dix ans au moins. *Une décision qu'elle n'a que trop retardée...* La garce ! Elle a attendu juste dix ans pour m'annoncer qu'elle me quitte. La moitié de mes tableaux lui reviendra.

Il a insisté sur le *désastre* que représente pour lui la perte de sa production pendant un demi-siècle. J'ai objecté que la plupart de ses tableaux et de ses dessins, déjà vendus, échappent par conséquent au compte prévu par le pacte.

— Elle n'en récoltera qu'une part infime... Pas mal de poteries, c'est vrai, mais vous tiennent-elles tellement à cœur ?

À peine s'il m'a écoutée. En réalité, il ne déplore pas tant la perte de ses tableaux qu'il n'est accablé par la révélation subite de son âge. Il se faisait encore des illusions. Françoise l'abandonne parce qu'il est trop vieux. Elle avait vingt et un ans lorsqu'ils se sont connus. À soixante et un ans, il portait encore beau. Mais aujourd'hui ? À trente et un ans, elle resplendit toujours, elle n'a rien perdu de son éclat, alors que lui, en dix ans, s'est transformé en vieux. Les quarante ans d'écart dressent désormais entre eux un obstacle insurmontable. Elle le quitte, parce qu'il est devenu pour elle un de ces ridicules barbons de comédie, dont ils riaient ensemble au commencement de leur liaison, lorsqu'ils allaient voir au théâtre *L'École des femmes* ou *Le Barbier de Séville*.

— Chienne d'hypocrite !

Elle le traitait déjà, dans son cœur, d'Arnolphe ou de Bartolo. Dès le début, elle s'était jouée de lui.

Enfin, et c'est là le vrai drame, au-delà de la blessure d'amour-propre, il l'aime encore, il l'aime d'amour, il l'adore, il en est fou, il se torture en l'imaginant dans les bras d'un autre, il la voit au lit avec un jeune amant, il reporte sur elle toute la passion qu'inspire à un amateur de femmes *la dernière* de celles qu'il connaîtra.

Néanmoins, en véritable Andalou, il garde pour soi ce qu'il ressent. Pas de gestes désordonnés, pas de cris, pas de meubles renversés ni de pots de peinture fracassés, un raidissement au contraire de toute sa personne, une stupeur muette, une sorte de catalepsie. Quand il n'en peut plus de se contenir, il s'enferme dans son atelier. Il se lâche alors, il se libère de ce qui l'oppresse. On pourrait, en s'approchant du point idéal d'écoute, sous le coude du tuyau de poêle (comme Aimée se risque à le faire non sans beaucoup d'hésitations), l'entendre monologuer, avec une sombre et pathétique fureur. D'un jour à l'autre il se répète, avec une manie obsessive. Aux éclats de voix succèdent des murmures inaudibles, suivis de gémissements.

« Femmes… Femmes… Femmes… »

Il s'en prend d'abord aux femmes en général, coupables de ne s'intéresser à un homme que pour son physique, en négligeant ses autres qualités, d'esprit, de cœur, sa carrière, ses succès, etc. Puis il abandonne ces banalités pour concentrer sa rage sur la seule Françoise. Une litanie de griefs, qui se conclut par un cri de douleur.

« Tu m'échanges contre le premier freluquet ? »

Le mot *outil* revient à plusieurs reprises dans son soliloque, accompagné d'épithètes plus dépréciatives l'une que l'autre, telles que *flétri*, *émoussé*, *hors d'usage*. Aimée ne comprend pas ce mot, ou, si elle croit le comprendre, s'accuse en rougissant d'avoir l'esprit mal tourné.

Le ton monte d'un cran, les phrases se font plus décousues. Les accents d'une voix altérée par les sursauts d'une colère impuissante parviennent distinctement à Aimée.

« *Viejo*, *vell*, *vieux*, *vecchio*, *velho*, dans toutes les langues le mot est horrible. »

Il a dépassé les soixante-dix ans, le voilà depuis deux ans atteint par la limite d'âge. Y a-t-il malheur plus affreux ? Et quel ridicule d'avoir montré l'autre jour son attachement pour le nombre 7, si sept fois sept marquent la fin des années où l'on conserve quelque chance de plaire, tandis que sept fois dix aboutissent au chiffre fatal ! Son visage n'est pas trop abîmé, s'il le regarde dans la glace ; mais les jeunes beaux qui tournent autour d'elle lui présentent des figures autrement lisses. Cette idée sera sa damnation ; elle jette du noir sur ce qui reste de Pablo. Une peau de vioque ne tente plus une femme de trente ans. Une femme de trente ans se détourne d'une peau fatiguée pour s'enticher d'un imbécile à sa première barbe.

« La dinde ! »

Son front ne renferme-t-il pas plus de pensées en un jour que la tête vide de ces crétins toute leur vie ?

Après ce sursaut de rébellion et de fierté, c'est à nouveau l'accablement.

« Femmes, suffit-il d'avoir vingt-cinq ans pour avoir le droit de vous sauter dessus sans vous déplaire ? Regarde-toi : tes rides dénoncent le *septuagénaire*, ce mot qui ôte tout mérite à celui qui le porte. »

Les vides qui se creusent dans ses joues, les arêtes de son nez qui s'effilent, les os de ses mâchoires plus saillants, dessinent la forme du crâne qui sera bientôt la seule chose qui lui survivra. Aura-t-il fait dix mille tableaux, vingt mille dessins, pour que, à soixante-douze ans, on ne se souvienne plus que de son âge ?

Elle lui écrit : *Il est temps que je vive par moi-même. À ton âge, mon vieux toutou aimé, je n'ai plus d'autre rôle à jouer que celui de maman ou d'infirmière, ou plus probablement ce sera les deux à la fois, et je n'ai pas ce tempérament. J'ai besoin de vivre, j'ai besoin de m'épanouir.*

Est-ce qu'il a cherché à l'étouffer ? N'est-ce pas lui qui l'a encouragée à dessiner et à peindre ? Que serait-elle si elle ne l'avait pas rencontré ? Elle aurait végété dans une de ces sottes académies de dessin parisiennes. Qui était-elle avant de le connaître ? Une donzelle à se pavaner à la terrasse du Flore.

« Je l'ai prise idiote et rendue femme. »

Après dix ans de vie commune qui l'avaient entièrement façonnée, elle croyait qu'elle allait *s'épanouir* dans les bras d'un godelureau ?

Qui pouvait-il être d'ailleurs ?

Au silence qui se fit soudain, Aimée devina qu'il cherchait pour calmer son angoisse à fixer sa jalousie sur un de ces *mignons* qu'il supposait lui avoir été préféré.

« Bernard Buffet ? »

Plus d'une femme est assez sotte pour se faire fort d'arracher à une lope ce qui lui reste de virilité.

« Renato ? »

Après un Espagnol, elle ne voudrait pas d'un Italien. Son amie psychanalyste lui a appris à donner du *phallocrate* à tous les Méridionaux. Il se rappelle avec quel regard de défi elle est allée user pour la première fois de son droit de vote, après la guerre, comme s'il n'avait pas donné par ses tableaux suffisamment de gages aux féministes !

« Marcel, cette crevure ? »

« Ah ! j'y suis, ce sera Thomas, le petit commis de la galerie Louise Leiris… »

Elle avait passé deux jours à accrocher avec lui les tableaux. Ils se les passaient de la main à la main, ils en profitaient pour se toucher, se chatouiller, elle riait comme une folle…

« Rit-on avec un *septuagénaire* ? »

Voilà ce qui l'a perdu. Il est trop sérieux. Il ne folâtre plus.

« Un joli garçon se présente, et hop ! dix ans de vie commune effacés. »

Elle aura trouvé qu'il la fait vivre dans une atmosphère trop tendue, sans assez de distractions. Peu de sorties, jamais de vacances à ne rien faire, les spectacles au compte-gouttes désormais, un cercle d'amis restreint, les dîners en ville proscrits. Il a toujours haï ces mangeailles prétendues chic où, coincé entre deux *épouses*, on doit faire la conversation pendant trois heures à deux pécores. Quelles épouvantables corvées ! Qui donc avait appelé ces repas *des festins de barbares* ? Chez Kahnweiler, la dernière fois, une de ses voisines s'était étonnée qu'il ne peignît jamais la mer. Ah ! s'était exclamée l'autre, c'est que Malaga, sa ville natale, est au milieu des montagnes !

Il avait de bien jolies mains, ce Thomas, en comparaison de ses gros doigts déformés par les cals à force de manier les pinceaux.

« Et tous ses cheveux, bien bouclés, ses lèvres rouges, ses dents... »

Et puis, c'est bien simple, elle aura compris qu'il place son travail au-dessus de tout, la joie de peindre à cent coudées au-dessus des jouissances d'épiderme.

Que fait, hélas ! la fidélité d'un amant qu'on sent occupé par un intérêt supérieur ?

Suivait un autre silence. On aurait pu l'entendre froisser des pages. Feuilletait-il des journaux ? des livres ? Une oreille très fine aurait même perçu d'étranges râles entrecoupés de soupirs étouffés. À quoi s'affairait-il là-haut ?

La chose ne devint un peu claire qu'une semaine ou deux plus tard. Entre-temps, la vie continuait à l'hôtel de Sorrède, non sans quelques changements. Occupé à écrire un chapitre sur Céret, l'oncle Alphonse supputait avec délectation l'aigreur de ses collègues, quand ils découvriraient qu'il avait déniché *de l'inédit.* Paulo se demandait s'il devait le détromper. Et puis non, que lui importait que ce paltoquet perdît la face ? C'est de son père qu'il songeait à se venger. Il patienterait jusqu'à la sortie du livre pour tourner en ridicule le mensonge de la fontaine bleue. En attendant, il faisait reluire avec une peau de chamois le couvercle en faux ébène de son piano, puis passait son temps au clavier. On l'entendait jouer du Scriabine, du Prokofiev, du Chostakovitch – il avait laissé tomber Chopin et Field pour ne jouer plus que des Russes, de préférence des Soviétiques. Il tournait lui-même les pages des partitions, car Jacqueline ne s'intéressait plus du tout à lui. Comme Aimée l'avait deviné, elle dirigeait maintenant ses batteries (l'expression est de Totote) sur le but qu'elle s'était fixé d'emblée.

Nul ne sait à force de quelles promesses, simagrées, minauderies, elle réussit à le circonvenir. Toujours est-il qu'une nuit, elle monta de son pas léger les marches qui conduisent au grenier. Personne dans l'hôtel n'aurait deviné la nouvelle tournure de l'intrigue si, dans son impatience, elle n'avait refermé trop brusquement la porte. On l'entendit claquer dans le silence de la maison.

11

L'épreuve

Le lendemain matin, au petit déjeuner, elle fit bonne figure, malgré une mine dépitée.

Lui ne descendit pas. Il appela Maria et lui donna un ordre si mystérieux qu'elle ne voulut dire à personne dans quel but il l'envoyait dans les librairies et chez les bouquinistes de Perpignan. De quelles publications avait-il donc besoin ? Si rares, fallait-il croire, réservées à un public si restreint, que Perpignan ne put les lui fournir. De l'avis général, il voulait étudier et comparer les diverses revues d'art, pour confier à celle qui lui paraîtrait la plus sérieuse le reportage qu'on lui réclamait de toute part. Mais pourquoi, alors, ces cachotteries ? Pourquoi ne pas consulter Raymond ?

D'autres hypothèses circulèrent dans la maison, après que Maria, revenue les mains vides, eut rapporté les propos des libraires.

— Ah ! lui disaient-ils avec un sourire, pincé pour les uns, narquois pour les autres, cette marchandise, vous ne la trouverez pas ici !

— Chez Privat, boulevard Clemenceau, on m'a franchement rigolé au nez !

Obstinée, elle battit la côte et revint avec un paquet étroitement ficelé acheté au kiosque de la plage de Port-Barcarès. Les dimensions du paquet laissaient supposer qu'il contenait non des livres mais des revues.

Les râles, les halètements, les soupirs recommencèrent, de plus en plus fréquents et avec un accent marqué d'impuissance et de désespoir. Jacqueline n'avait plus le droit de monter au grenier, et Totote elle-même fut proscrite. Personne ne faisait plus le ménage, il tenait à cacher jalousement ces publications. En vain interrogea-t-on Maria. Elle avait présenté l'ordre d'achat aux libraires puis aux tenanciers des kiosques, sans lire le bout de papier sur lequel était détaillée la commande.

Rosita pensa qu'il voulait se perfectionner dans la technique de la poterie. On s'amusa de sa candeur : qu'elle relise Éluard et le poème sur son ami, dont *les doigts font monter la terre*, et *les mains tranquilles vont leur chemin*. Les vases, les compotiers tournés et peints à Sant Vicens manquaient peut-être de réussite ? La série des assiettes de la corrida ne prouvait-elle pas une exceptionnelle maîtrise ? L'oncle Alphonse émit l'opinion qu'il s'agissait de revues médicales : son opinion eut un certain crédit. Totote confirma que Manolo avait été assez imprudent pour entraîner dans les quartiers malfamés de Barcelone un gamin de quatorze ans. Jacqueline protesta que ce devaient être des revues de mode masculine. Elle lui avait suggéré de remplacer le pantalon de velours gondolé aux genoux, le vieux tricot rayé de marin, les espadrilles avachies, par des effets moins vétustes, s'il voulait ne pas paraître son âge. Cette phrase avait eu son effet. Quant au mystère, il s'expliquait par le désir de nous faire une surprise, après consultation des catalogues.

En attendant, il ne peignait plus, gardait le nez plongé dans ses revues, ce qui fit naître une nouvelle hypothèse : comme il avait laissé entendre qu'il voulait *revisiter* les vieux maîtres espagnols, par des variations sur leurs chefs-d'œuvre, on pensa qu'il étudiait ceux-ci – puisqu'il ne pouvait plus le faire sur place au Prado –, dans la nouvelle collection *Œuvre complet* qui paraissait en feuilletons mensuels. Vélasquez et Zurbarán étaient déjà parus. On attendait Murillo. Peut-être, avant de s'attaquer à Vélasquez, pensait-il à Goya, dont les planches sur la tauromachie devaient le fasciner ? Javier, habitué des plages où il allait se dorer avec ses amis gitans dans la portion réservée aux nudistes, jeta un froid.

— Attendre des campings de la côte qu'ils fournissent des livres d'art à des gens qui se réclament d'Adam et Ève, c'est croire que les bébés naissent dans les choux !

Paul espéra qu'en *pastichant*, comme il disait, les grands maîtres, ces *copies* ramèneraient Pablo à la *vraie* peinture. Il projeta une expédition aux arènes de Céret. Avec les taureaux, le *n'importe quoi* n'est plus de mise.

Le spectacle du sang et de la mort serait assez fort pour remettre à ce *fumiste* les yeux en face des trous.

Au bout d'une semaine, Jacqueline fut réadmise au grenier. Le lendemain, sa mine de nouveau dépitée donna lieu à de multiples conjectures, plus ou moins charitables, mais toutes, à leur façon, soucieuses. L'habitude augmenta les craintes. Dès le dîner fini, elle montait à l'atelier derrière Pablo, sans se laisser décourager, apparemment, par les déceptions qu'on lisait, le matin suivant, sur son visage. L'inquiétude fut à son comble après qu'on eut entendu la porte claquer bruyamment, et vu Jacqueline dévaler les marches, puis fondre en larmes sans retenue. Totote l'emmena rapidement dans une autre pièce. L'émotion était telle qu'Aimée ne se fit plus scrupule de tendre l'oreille sous le tuyau de poêle aux exclamations qui tombaient du plafond. Elle était si bouleversée qu'elle laissa son mari et Paulo la rejoindre. Des coups de poing frappés sur la table, des accents de colère interrompaient les plaintes, ce qui les rassurait sur la vitalité de leur hôte, malgré les mots atroces. À minuit, tout dort dans Perpignan. Les paroles, tantôt en espagnol, le plus souvent en français, se détachaient dans le silence avec une force terrible.

« C'est fini pour toi, bien fini. »

Ici reprenaient la litanie sur la malédiction du *septuagénaire* et l'énumération des grâces qui ornent les jeunes gens de vingt-cinq ans.

« Elle a eu raison de se carapater d'un vieux singe qui n'y arrive plus. »

Puis, dans un regain de fierté :

« Oh ! tu as bien joué, *sucia ramera* ! »

— C'est-à-dire ? demanda Aimée à voix basse.

— Chut ! fit Paulo.

Cachant sa déconvenue sous un attendrissement hypocrite, Jacqueline lui avait dit que ce n'était rien, que ça pouvait arriver à tout le monde, qu'elle ne lui en voulait pas… Elle attendrait le temps qu'il faudrait… Seule une garce aurait la cruauté de lui en tenir rigueur… Évidemment ! Elle restait, bien que sans illusions. Elle restait, *à cause de son argent.* Qui pourrait avoir envie d'un bonhomme vieux et pauvre ? Flapi et sans compte en banque pour le racheter de sa honte ? Un compagnon de longue date à qui on est lié d'amitié peut inspirer de l'indulgence, mais elle, pourquoi le rejoindrait-elle chaque soir sinon par intérêt ? Cela ne la gênait pas plus que ça, de rester *Grosse-Jeanne comme devant.* (Aimée s'amusa de l'entendre mettre au féminin cette expression, qui n'a pas d'équivalent en espagnol.) *Por Dios !* Elle ne se laisserait dégoûter par rien, pourvu qu'elle ait l'assurance de toucher le magot.

Intrigué par un léger frottement sous le drap, il l'avait surprise à se finir au doigt.

« Ah ! Françoise, dans quels bras m'as-tu jeté ! »

Il suppliait Françoise de revenir, pour une nuit au moins.

— Il ne bande plus, dit cyniquement Paulo, enchanté que son père ait perdu toute chance de refaire sa vie avec une femme.

Cette insolence choqua Aimée, hors d'elle par ce qu'elle venait d'entendre. Tour à tour déprimé et furieux, il jurait, blasphémait, pleurnichait, se tapait la tête contre le mur. Les clichés les plus mièvres voisinaient avec des détails scabreux. Il répétait qu'un homme qui *rate une entrée aussi béante*, et cela plusieurs fois de suite, *se déshonore*. Modigliani lui affirmait que dans son pays on n'attend pas si longtemps. On se tire une balle dès le premier fiasco. Les Italiens sont admirables ! Ils ont cette locution, qui exprime sans ménagement le ridicule de la déconfiture : « Un homme ne survit pas à l'humiliation d'avoir fait flanelle (*fatto flanella*). »

Devait-il renvoyer Jacqueline, s'ensevelir avec son secret ? Elle lui était odieuse, elle l'horripilait, et pourtant il savait qu'il finirait par l'épouser, dans l'espoir qu'elle lui apporte une *solution de rechange*. Il n'y avait pas de condamnation *définitive*, un remède existait peut-être, ne serait-ce qu'*un cautère sur une jambe de bois*.

Une semaine après, malgré sa prévention contre les médecins, il consulta leur ami Jacques Delcos. Aimée se dit qu'elle ne devrait pas se poster sous le tuyau de poêle, mais le seul moyen de lui venir en aide n'était-il pas de passer outre au respect du secret médical ? On l'accuserait d'indiscrétion, de curiosité féminine, alors qu'elle était sûre de n'agir que pour son bien. Ce qu'elle entendit, prononcé d'autant plus distinctement qu'il s'adressait au docteur en français, avec une élocution plus lente, l'estomaqua.

— Est-ce lié au fait, docteur, que je n'arrive plus à pisser que par à-coups, péniblement ?

Un seul moyen, pour le docteur, de remédier d'un coup aux deux *infirmités* (ils ne mâchent pas leurs mots, ceux-là) : l'ablation de la prostate. Mais, sur l'assurance que s'il se faisait ôter la prostate, c'en serait fini également du... (le mot fut prononcé trop bas pour être perçu), et que Jacqueline ne pourrait plus être pour lui qu'une *amie*, il y avait renoncé. L'opération ne serait qu'un sacrifice inutile, *bousillant* ce qui lui restait de joie de vivre. Ces doléances, cet énervement, cette rage, ces mots qui le blessaient inutilement revenaient avec une obsession maladive. Le *mécanisme* (explications détaillées du médecin) serait grippé à jamais, et, même avec un semblant de plaisir, sa conséquence naturelle, indispensable aux femmes, rendue impossible. La *machine*, de toute façon, était bel et bien foutue, il n'y avait plus d'espoir pour lui.

Aimée n'aurait pas voulu qu'un homme supérieur se fixe sur ces détails pitoyables. Pourquoi regrette-t-il aussi âprement, exaspéré d'en être dépossédé, ce qui fait l'orgueil d'une foule de ces petits crétins qu'il méprise ?

Toutes les nuits, désormais, la même scène se répétait. Marchant à grands pas dans l'atelier, il se cognait aux meubles. Le bruit mou d'un corps qui se laisse tomber sur un lit indiquait à Aimée le début d'une nouvelle tentative.

Un silence, puis :

— Aïe ! Tu me l'as écorché à force de t'activer dessus !

Resté seul, pendant qu'elle dévalait les marches sans se soucier désormais d'étouffer ses pas, il continuait à se lamenter. Que lui avaient apporté le succès, la gloire, la fortune ? Aucun autre avantage que de s'attirer une *sangsue.*

L'espoir ne revint dans la maison que lorsqu'il eut commandé, cette fois sans cachotteries et d'un ton posé, une toile de 129,5 sur 96,5 centimètres. De combien ? lui fit répéter Maria, qui craignait d'avoir compris de travers. Il inscrivit les centimètres et demi-centimètres sur son livre de comptes, au bas de la liste des provisions. Comme ce n'était pas son habitude d'indiquer des mesures aussi exactes, on en conclut que le projet qu'il avait en tête ne laissait place à aucune indécision. Il commanda aussi une gamme de couleurs nouvelles et un pot de ripolin noir.

— Il reprend du poil de la bête, il se les rafistole avec les moyens du bord, fit Paul, toujours aussi agressif et vulgaire.

Aimée, à Totote :

— Réjouissons-nous que la crise soit passée et qu'il se ressaisisse. Mais dis-moi : que signifie au juste ce mot de *ramera* qu'il lui a flanqué comme une gifle ?

Est-ce un mot andalou ? *Sucia ramera*, lui a-t-il jeté à la tête. *Sucia*, je comprends, l'autre mot ne doit pas être plus aimable !

— Ah ! On voit que tu ne t'es jamais promenée sur les ramblas de Barcelone après onze heures du soir !

Puis :

— Moi, autre chose me dérange. Ne trouves-tu pas curieux que pas une fois, pas une seule, sa pensée ne soit allée à leurs enfants ? On dirait que Claude et Paloma n'existent pas pour lui ; ou du moins, que la paternité ne lui apporte aucune consolation.

— Pis encore… Regarde comme il traite Paulo…

Celui-ci n'hésita pas à dire tout haut que cette Jacqueline était abominable et qu'il supportait de plus en plus mal de la voir traîner dans la maison. Le pauvre garçon ! Il ne se faisait pas à l'idée qu'il l'aurait sans doute pour belle-mère.

— Elle exigera, souffla Totote à Aimée, assez bas pour ne pas être entendue de Paulo, elle exigera et obtiendra ce que Françoise n'a pas obtenu.

— Le mariage ?

— Le mariage et tous les avantages que le code civil accorde à la veuve.

12

Perpignan

Comment va-t-il se venger de Françoise ? nous demandions-nous. Par quelle invention diabolique ? Car ce pot de couleur noire, couleur de la poix, ce ripolin, emblème du reniement, ne nous laissaient que peu de doutes sur la destination du tableau. Les uns voyaient une tête de guenon vissée à un corps de crapaud, les autres une grosse larve gigotant sur un tas de charbon. Jamais, dit Totote, il n'a fait de tableau autobiographique, qui permette de lire dans ses sentiments. La tradition espagnole de hauteur et de dédain pour les événements personnels veut qu'on cache ses malheurs, ou qu'on les livre si déguisés qu'il soit impossible de les reconnaître. Nous en sommes tous convenus : la stigmatisation ne pourrait être qu'indirecte.

Pour ce tableau qu'il préparait en secret, en le recouvrant chaque fois qu'il descendait de son atelier d'une toile de jute fixée de telle sorte qu'il était impossible de la soulever d'un centimètre sans qu'il s'en aperçoive, il voulut se procurer un noir plus épais, plus noir que celui trouvé par Maria, un noir bitumineux, de la consistance du goudron. Le ripolin ne suffisait pas. Allons l'acheter ensemble, me dit-il.

— Totote dit que vous devriez en profiter pour renouveler votre gamme de pinceaux.

— Ma gamme de pinceaux ? Je n'ai qu'un seul pinceau, toujours de la même taille. Quand l'un est hors d'usage, je m'en procure un autre absolument identique, en oubliant de jeter les vieux. On écrit çà et là que je peins au hasard, sans avoir de contraintes, et que c'est trop facile de procéder ainsi. Mais je me les donne, mes contraintes, je ne les prends pas au-dehors, ce qui serait agir scolairement, je les prends en moi-même. Utiliser des pinceaux de taille différente incite à faire n'importe quoi. Manolo a gâché son talent et raté sa carrière parce qu'il variait ses instruments. Un coup de maillet par-ci, une entaille de ciseau par-là, le lendemain la pierre ponce, le vilebrequin, la gouge, le poinçon, la truelle. Avec cet éventail de possibilités on ne fait rien de bon. C'est la fausse richesse de ceux qui ne se fient pas à leur esprit. Limité à un seul pinceau, je tends mes forces vers un but unique. C'est inouï comme la pauvreté de l'outil contribue à féconder l'invention. En me forçant à me concentrer sur ce que j'explore, mon pinceau unique me mène au fond de l'idée. Sans moyen de substitution, livré à moi-même, comme un naufragé en vue de la côte, je vais jusqu'au bout de mes limites. Oh Aimée ! je m'excuse de ces détails trop longs. Riche d'une panoplie d'instruments, Dieu n'aurait pas créé à la suite la girafe, l'éléphant, le puceron, la loutre, le pin parasol, le chiendent, le palmier. Toutes choses seraient restées dans le chaos. Dieu ne s'est servi que de son doigt pour tracer les linéaments du monde et le peupler d'une variété d'animaux et de plantes.

Loin de me plaindre, j'aurais souhaité l'entendre, encore longtemps, me développer ses vues. D'habitude, il est avare de confidences sur ses procédés techniques.

Il avait quitté pour sortir en ville sa vieille blouse toute fripée et revêtu sa chemise neuve à carreaux. Cette coquetterie me sembla de bon augure. Raymond, qui était sur le pas de sa porte, nous voyant franchir le seuil de l'hôtel, nous demanda la permission de nous accompagner, afin de compléter le reportage photographique qui serait exposé dans un mois à l'hôtel Pams. Autant Pablo fait tout son possible pour ne pas être dérangé pendant qu'il travaille, autant, dans les moments de détente qu'il s'accorde, il a besoin, comme un enfant, de se sentir entouré par l'admiration publique. À peine étions-nous dans la rue de l'Ange (qu'il s'obstine à appeler *carrer del Angel*), que Raymond, sautillant autour de lui, courant à droite et à gauche avec son trépied, attira sur notre groupe l'attention des passants. Il fit sensation, place Arago, en s'appuyant sur le capot de son Hispano-Suiza garée devant le café des Palmes. Paul l'avait munie de pneus blancs, luxe inconnu à Perpignan. On le reconnut, on le félicita, il souleva son chapeau pour saluer, des gamins grimpèrent sur le pare-chocs et secouèrent la carrosserie, une femme battit des mains et lui demanda un autographe.

Avoir les honneurs du *palau Pams*, nous dit-il (la nouvelle s'étalait à la une de *L'Indépendant*), est la plus haute consécration qu'on puisse recevoir ici. À Perpignan, ville pauvre, sans industries, c'est la seule demeure de quelque importance. Pams est le nom de la famille qui s'est enrichie par l'invention du papier à cigarettes. Cette circonstance l'amuse, et il nous répéta plusieurs fois en riant, sans nous expliciter sa pensée : « Ah ! si Manolo l'avait su ! » Il ramassa deux, trois citrons et se mit à jouer aux boules avec les polissons qui traînent sur la place. Puis il mit deux doigts sur son front, les pointa comme des cornes, et fit semblant de poursuivre la marmaille comme le taureau quand il déboule dans l'arène. Ils s'égaillèrent avec des cris. Je faillis lui dire qu'on n'est pas vieux tant qu'on reste capable de tels enfantillages. La crainte que ce seul mot de *vieux* le terrorise me retint.

Pour les photos, il s'efforçait de sourire, mais d'un sourire qui me parut contraint. Raymond s'arrangeait pour le prendre pendant qu'il ne s'y attendait pas, en particulier devant les magasins de lingerie, si nombreux à Perpignan où la cuisine trop grasse oblige les femmes qui veulent garder la ligne à s'équiper en conséquence. Plusieurs photos attestent qu'il essaya de nous donner le change par un enjouement factice : par exemple, lorsqu'il nous montra du doigt, hilare, les enseignes les plus cocasses, *Paris-Silhouettes minces*, *À la taille de guêpe, Chez Pauli on retrouve ses vingt ans* ; ou qu'il fit le pitre devant la vitrine du *Corset idéal.* Au coin de deux rues, devant les lettres *Aux Deux Blancs* calligraphiées en italiques vermillon sur des carreaux de faïence blancs, on le voit tirer nerveusement sur sa cigarette, pensant qu'on ne l'observe pas. Totote et Rosita, rencontrées par hasard, s'étaient jointes à nous pour cette dernière photo. Soucieux, sombre, ramassé sur lui-même, absorbé dans ce qu'il n'était pas difficile de deviner, il était resté à l'écart du groupe, enveloppé de fumée comme la seiche qui se cache dans son encre.

Alors que j'essayais, par une mine allongée et un silence de circonstance, de lui témoigner ma compassion, il me rabroua gaiement.

— Qu'est-ce qui vous prend, Aimée ? Pourquoi faites-vous cette tête ? Croyez-vous que je pense encore à la petite Gilot ? Qu'elle courote après ses minets si ça lui chante. C'est un caractère parfaitement plat et à la hauteur des façons de sentir du commun. Ma colère s'est épuisée en huit jours. Je me soucie de son départ comme d'une guigne.

Il aime beaucoup le quartier qui s'étend entre la rue de l'Ange, la cathédrale Saint-Jean et le Castillet. Son marchand de couleurs se trouve au-delà de ce quartier, sur le boulevard qui longe les allées Maillol. Il a deux itinéraires préférés, l'un par la rue de la Cloche d'or et la rue de la Loge, l'autre par la place du Marché, le théâtre, et plusieurs rues dont le nom est aussi pittoresque que le tracé, Père Pigne, Main de Fer, Four

Saint-Jean. L'appellation de ces rues le ravit autant que le charme qui se dégage de leur labyrinthe sinueux et frais. De temps à autre il s'engage dans une venelle transversale, pour le seul plaisir de lire sur les plaques leur dénomination baroque, de l'Incendie, des Trois Journées, des Quinze Degrés, des Farines, de la Lune, des Pots de terre. L'enflure est épargnée à Perpignan. Pas un seul nom de général ou d'homme politique.

— Je me crois en Espagne, me dit-il, ces rues à maisons de quatre étages sont des rues espagnoles, étroites, encaissées, des sillons creusés dans le tissu urbain, des tranchées où le soleil ne pénètre pas. On aime l'ombre, en Espagne.

Et de me développer toute une théorie selon laquelle il n'y a rien de *français* à Perpignan. Cette ville se distinguerait par trois caractères bien définis : la netteté du dessin des rues et des maisons ; la sensualité qui allume des paillettes d'or dans les yeux des filles (il ne s'intéresse absolument pas aux garçons, pourtant très beaux tant qu'ils sont jeunes) ; la couleur des murs, qui varie de l'ocre à l'orange, du jaune au rouge, mais toujours soutenue, chaude, enveloppante. Or la netteté a été transmise aux Catalans par la colonisation latine, la sensualité par l'Islam, la couleur par la Catalogne espagnole.

— La colonisation latine ?

— C'est Pline l'Ancien qui le raconte : la fille d'un potier napolitain était amoureuse d'un jeune homme qui devait partir au loin. Pour fixer pendant son absence les linéaments de son visage, elle les traça sur un mur en suivant le bord de l'ombre projetée par une lampe. Le portrait, genre inconnu jusqu'alors, était né. Un seul trait avait suffi, dessiné d'un coup, à main levée, sans repentir. Premier exemple de cette netteté latine, Aimée. Vous pouvez la retrouver près du Boulou dans ce qui reste de la via Domitia qui allait de Rome à l'Espagne. Les dalles sont encastrées avec la précision d'un damier.

Ce jour-là, au lieu d'emprunter un des deux itinéraires habituels, il nous entraîna, loin du centre, vers un square planté de quelques marronniers. Avec lui on n'est jamais à l'abri d'une surprise, mais je n'aurais jamais cru qu'il eût pour des arbres un tel intérêt. Il ne met jamais d'arbres ni de fleurs dans ses tableaux, le genre *nature, verdure, paysage* ne le touche pas, ni la catégorie *végétaux*. Il traite *d'anecdotiques* les jolis sous-bois de Renoir, de Sisley, et l'autre jour, à table, comme il s'était moqué cruellement du *folklore botanique* de Matisse !

Entre les marronniers, noyé sous leur ombre, étouffé sous la prolifération de hautes herbes, un pauvre petit figuier penchait ses branches racornies.

— Il y a cinquante ans de cela, je l'ai planté avec Manolo, une nuit sans lune, en déjouant la surveillance d'une ronde de gendarmes. Ils avaient entendu du bruit dans le square, qui était alors fermé par une grille. L'un d'eux partit chercher la clef à la mairie. Pendant ce temps, nous avons déguerpi par l'autre côté, en sautant par-dessus la grille… Je me souviens encore d'avoir fait un accroc à mon pantalon en sautant. Ils se lancèrent à notre poursuite, mais il ne fut pas difficile de les semer, dans le dédale des petites rues. Manolo, dressé par son pickpocket de frère, avait un talent extraordinaire pour se faufiler dans les passages obscurs et faire perdre sa trace. La patrouille passa à un mètre devant nous, sans voir les deux lascars aplatis contre le mur.

Plusieurs des branches du figuier étaient cassées, le feuillage, faute d'eau et de lumière, jauni. Des feuilles, desséchées ou mortes, se détachèrent quand il les toucha. Une figue unique pendait au branchage. Il voulut y goûter et se faire photographier par Raymond dans l'acte de la cueillir. Son œil, pendant qu'il tendait le bras vers la figue, brilla d'une intensité singulière.

Consterné de voir son arbre en si mauvais état, il dégagea des mauvaises herbes le pied, puis ramassa dans le creux de sa main un peu de terre qu'il répandit autour du tronc. Il en fit trois fois le tour, comme si ce geste et cette offrande pouvaient aider le figuier à reverdir. Un mouvement de colère le saisit, quand, s'étant reculé pour emporter une dernière image de son arbre, il vitupéra la municipalité qui laissait mourir les beautés naturelles de la ville, tout en faisant construire place de la République un hideux parking de quatre étages qui cacherait la façade du joli théâtre en briques roses.

— Le système électoral des démocraties, dit-il en conclusion de sa diatribe, peut donc aboutir à un résultat aussi désastreux que l'arbitraire des dictatures ?

13

Deux statues

En direction du magasin de couleurs, nous longeâmes les quais de la Basse jusqu'au fort du Castillet. Ce reste de l'ancien rempart lui plaît parce que les mâchicoulis allongés des courtines et le dôme rose du clocheton qui chapeaute la tour évoquent pour lui quelque chose *d'oriental*. Ce qu'il prend pour de l'exotisme religieux assouvit sa haine de l'Église romaine. (J'ai fait mon enquête depuis, et appris que ces détails ne sont pas du tout empruntés à la Turquie ou à l'Iran, mais à la Bastille de Paris et au fort Saint-André de Villeneuve-lès-Avignon.) Il se rembrunit en voyant dans une niche au-dessus du portail un pigeon identique à celui qu'il avait déguisé en colombe et envoyé porter au monde le plus hypocrite des messages de paix. Raymond fit la gaffe de dire, en vantant leur constance, qu'à toute heure du jour et de la nuit un ou deux pigeons étaient perchés à cet endroit.

— Ces oiseaux se relaient comme s'ils s'étaient donné le mot ; quand l'un s'envole, un autre vient se poser à sa place. Du coup, nous avons adopté ces gardiens comme emblèmes et protecteurs de la ville; en sentinelles fidèles, ils veillent sur son destin. S'il vous plaît, laissez-moi vous photographier sous ce pigeon.

Pablo se cacha le visage de ses mains et s'enfuit par la première petite rue.

Au lieu de gagner directement les allées Maillol, énervé par cet incident, il nous entraîna dans un nouveau détour. Nous débouchâmes rue de la Loge. Encore en rogne contre le système électoral, il me fit remarquer que Perpignan avait eu l'indécence de loger l'Hôtel de Ville et *la bande de ploucs à écharpe tricolore* dans un palais du XVe siècle construit par les rois d'Aragon.

— Architecture typiquement, splendidement espagnole. Regardez ces frises horizontales de galets incrustées dans les murs en brique, l'arc ogival qui couronne chaque fenêtre, le fer forgé des portes. Le Consulat de la Mer à Barcelone présente le même aspect. Vos élus n'auraient pas eu l'idée de ces finesses. Ils ont poussé l'impudence jusqu'à laisser le nom de patio à la cour qu'ils traversent chaque fois qu'ils vont voter le saccage de la ville.

Nous étions entrés dans cette cour, ornée de la magnifique *Méditerranée* de Maillol. Je craignais que ces sorties à répétition contre le conseil municipal ne fussent qu'un dérivatif à ses problèmes sentimentaux, et qu'il ne prît comme têtes de Turc ces pauvres édiles que par rancœur d'avoir été abandonné. Hélas, je ne m'étais pas trompée : quoi qu'il eût prétendu, il n'avait pas chassé de son cœur *la petite Gilot*. Ayant à peine levé les yeux vers la statue, il pâlit d'une façon effrayante. *La Méditerranée* : mais c'était, en plus volumineux, Françoise crachée ! C'étaient les formes arrondies, les courbes généreuses, l'allure molle, la tranquillité imposante de Françoise. Bien mieux, je fus frappée de la coïncidence entre la pose de cette statue et celle qu'affectionnait Françoise, dont j'avais fait connaissance à Paris, rue des Grands-Augustins, à la fin de l'Occupation : je reconnus la même façon de s'asseoir et d'incliner la tête. Tout était identique entre elles : la manière de lever une jambe pour y appuyer le coude, le geste de replier un bras pour soutenir la tête, le réflexe de tendre l'autre bras pour soutenir le corps. Françoise avait-elle copié la statue ? C'est impossible, elle n'était jamais venue à Perpignan. Je pensais à l'aphorisme célèbre qui veut que la nature imite l'art, et à l'application que Pablo en avait faite en évoquant je ne sais plus quel petit maître hollandais qui avait peint des citadelles en feu avant d'être enseveli sous l'explosion d'une poudrière. L'attitude, les gestes, la nonchalance voluptueuse, l'abandon, tout est si semblable entre la statue et Françoise, qu'elles paraissent avoir été taillées sur le même modèle. La seule différence est dans la coiffure. Maillol a pourvu *La Méditerranée* du bandeau circulaire et du chignon rond des korês grecques, alors que Françoise déploie la sienne jusqu'aux épaules. Le nez court, la moue des fortes lèvres, c'est encore Françoise.

Un homme, me demandai-je, oscille-t-il toujours entre deux types de femme opposés ? Faut-il que la nouvelle soit exactement le contraire de la précédente ? Autant Françoise est *physique*, végétative, plantureuse – comme une plante –, autant Jacqueline évoque par sa gracilité anguleuse les bonds impatients d'une gazelle. La nervosité de la seconde fait pendant à la placidité de la première. Raymond, toujours aussi étourdi, lui demanda s'il acceptait d'être pris en photo au pied de la statue. Je croyais qu'il refuserait avec horreur. Au lieu de cela, il s'appuya d'un bras au socle et s'efforça de sourire, tout en tirant sur sa cigarette par courtes bouffées.

Puis il dit brusquement :

— La langue française attache un ridicule particulier aux mots qui finissent en *-lot. Mulot, falot, ballot, boulot, culot, caboulot, charlot, ramollo, rigolo.* Y a-t-il auteur plus insipide que le célèbre *Hector Malot* ? Le film qui sort en ce moment avec succès sur vos écrans décrit la vie d'un parfait imbécile. Ce film raconte, ce n'est pas un hasard, *Les Vacances de monsieur Hulot.* Au féminin c'est encore pire : *hulotte, culotte, rigolote, matelote, charlotte, belote et rebelote. Lotte en matelote,* c'est une comptine idiote que chantonne Paloma, pour agacer son grand frère.

Il jeta au sol la cigarette, la piétina, puis éclata d'un rire qui me fit mal.

Au bout de la rue de la Loge on apercevait la cathédrale Saint-Jean, dont la façade ressemble à celle de Saint-Pierre de Céret: mur de brique nu, relevé seulement d'un portail de marbre. J'aurais voulu qu'il me dise quelque chose de cette cathédrale, des retables en bois doré et des peintures du buffet d'orgue. On les distingue si mal dans l'obscurité! Raymond aurait souhaité le prendre avec le flash devant le retable en marbre blanc du maître-autel, mais l'idée de revoir le Dévot Christ, si émacié que les côtes saillent sous la peau du thorax, cette idée le hérissa. Il déteste qu'on étale sa souffrance; et sans doute son éloignement du christianisme tient-il en partie au culte, exagéré en Andalousie, des plaies et des stigmates. Sa mère l'emmenait dans son enfance prier devant les christs et les martyrs dans les églises de Malaga. Les flots de sang, la sanie purulente, les corps transpercés, mutilés ou rôtis, l'ostentation doloriste lui soulevaient le cœur. Lorsque la peinture rouge avait manqué, on accrochait aux mains et aux pieds des statues des brins de laine imprégnés d'une teinture de cochenille. Ces bouts écarlates qui pendent *pour de vrai*, il s'amusait à tirer dessus jusqu'à ce que le sacristain accoure.

Restait à aller choisir, dans les nombreux salons de l'hôtel Pams, un espace qui mette en valeur les photographies de Raymond. Pablo semblait tout excité de visiter cet édifice si renommé à Perpignan, où il n'aurait jamais rêvé, quand il avait passé autrefois par cette ville, jeune, pauvre, inconnu, d'être un jour l'objet d'un tel hommage. En l'absence des propriétaires, de qui Paul avait obtenu l'autorisation de visiter les lieux, le gardien nous laissa entrer. Le rez-de-chaussée étant bien trop sombre pour exposer le reportage, nous montâmes par le grand escalier, qui débouche dans une cour à l'air libre, sur laquelle s'ouvrent les différentes pièces.

— *Maldición!*

Le cri lui échappa, devant une statue dressée dans un coin de la cour. C'est une jeune femme, une jeune beauté, toute nue, toute fraîche, les bras écartés et tendus en avant, comme si elle voulait ne cacher aucun détail de son anatomie. Et cette anatomie, large, solide – qui date de 1896, comme je l'appris de la plaque de cuivre apposée au socle de cette œuvre qui n'est pas de Maillol mais de son maître Victorien-Antoine Bastet –, cette anatomie est déjà, plus de cinquante ans avant, la copie anticipée de l'anatomie de Françoise : rondeur des hanches, opulence des seins, mollesse du ventre, mesure et ampleur des cuisses (et, complément logique de cette plénitude charnelle, triangle appétissant du sexe, souligné par les deux plis de l'aine), tout est identique entre le modèle de Bastet et la jeune femme d'aujourd'hui ; comme m'avaient paru identiques, entre Françoise et le modèle de *La Méditerranée*, l'exhibition calme, la candeur végétale, le luxe de la jeunesse, la force de la féminité. La plaque de cuivre donne à la statue de Bastet le titre de *Vénus au myrte*, d'après le tronc d'arbuste qui soutient ses fesses rebondies. Le visage lui-même, tout en lignes arrondies, ressemble à celui de Françoise. On y lit le même flegme, la même indifférence née du simple bonheur d'être au monde. Pourquoi Vénus ? Parce que la Vénus des Anciens, dans toutes les représentations qu'on en a conservées, tableaux, mosaïques ou statues, étale la même suffisance tranquille.

Il se trouvait à nouveau confronté à l'image de celle qu'il aurait voulu chasser de son esprit. Première de cette école *physique* et *végétative* qui a fait florès dans le Roussillon – après Bastet, Maillol ; après Maillol, Marcel Gimond –, cette statue lui rappelait que sa vie privée venait de faire banqueroute. *Vénus au myrte* enfonçait un peu plus dans ses idées déprimantes celui qu'avaient abandonné les faveurs de la déesse. Le geste des bras levés, paumes tournées en avant, aurait pu signifier pour un autre :

— Espère ! Je reviens !

Mais lui, dans ces deux mains tendues qui découvrent la poitrine, le ventre, les cuisses, le sexe, ne voulut voir que la confirmation de sa disgrâce. Elle le repoussait, elle le reniait, elle l'envoyait paître, par un congé définitif, d'autant plus cruel qu'il était signifié par une bouche adorable, et souligné par l'exhibition de tout ce dont il devrait se passer à l'avenir.

— N'approche pas, vieux bonze aimé, adieu une fois pour toutes. Je me suis déplacée jusqu'ici pour que tu cesses d'espérer. Qu'as-tu à t'étonner et à te lamenter de mon départ ? Crois-tu être resté à la hauteur de ce que j'exige ? Regarde pour la dernière fois des charmes qui ne sont plus à ta portée. Ne vois-tu pas que ma jeunesse est trop *épanouie* pour se suffire de tes caresses ?

Je ne sais quelle valeur artistique peut avoir cette statue, mais je constate quel effet terrible, de par son impudeur triomphante, elle exerce sur un homme qui n'a plus les moyens de répondre à l'appel de cette chair.

Il se sauva précipitamment et faillit dans sa hâte tomber dans l'escalier. Raymond resta seul à inspecter les locaux, pendant que je le ramenais à la maison.

14

Mort de Staline

L'oncle Alphonse apporta une diversion bienvenue. Comme il devait rencontrer à Paris son éditeur, pour discuter le nombre de signes, le prière d'insérer et le choix des illustrations, Maria le chargea de lui dénicher au Bazar de l'Hôtel de Ville la nouvelle poêle à frire encore introuvable à Perpignan, « la poêle qui n'attache pas », sans laquelle, disait la vieille bonne, jamais elle ne pourrait réussir le gratin d'anchois et de poivrons aussi bien que Georgette, la cuisinière de nos voisins de Mailly.

L'oncle Alphonse aurait voulu se vanter d'une trouvaille qui éclipserait le mérite de la poêle à frire. Sur la recommandation de mon mari, il s'était rendu rue de Monceau chez Louise Leiris, qui lui ouvrit les archives de sa galerie. Ses recherches n'avaient rien donné, il rentrait bredouille. La fameuse question : pourquoi Pablo avait-il abandonné le cubisme *analytique* des *Demoiselles d'Avignon*, répudié le principe exclusif des lignes droites, des intersections à angle aigu, des arêtes saillantes, pour donner la préférence aux figures sinueuses du cubisme *curvilinéaire*, cette question, irrésolue depuis trente ans, faisait le désespoir des historiens.

— Qu'à cela ne tienne, dit Pablo, je vais vous apprendre le secret. (Il paraissait d'humeur si facétieuse, qu'à la place de l'oncle Alphonse je me serais méfiée.) Le 15 mars 1921, je suis allé avec Juan Gris déjeuner à la brasserie alsacienne de la gare de l'Est. Il était une heure et demie. Comme il faisait encore très froid, et que nous étions fort pauvres, nous avons commandé une choucroute, une seule, une choucroute pour deux. (L'oncle Alphonse mouilla son crayon pour noter la date, l'heure, le menu, la précarité de leurs finances.) Le garçon nous apporta des saucisses recourbées, au lieu d'être droites comme les saucisses de Strasbourg que nous aimions.

« — Ce ne sont pas les saucisses habituelles ? dis-je au garçon.

« — Non, monsieur.

« — Et pourquoi ?

« — Ce sont des saucisses de Colmar, monsieur.

« — Quelle forme étrange !

« — On dirait du boudin, fit Juan, dégoûté.

« — Pourquoi ne sont-elles pas droites ? demandai-je.

« — Précisément, monsieur, pour les distinguer de celles de Strasbourg. Les deux villes se jalousent, chacune tient à une forme particulière de saucisse.

« — Vous avez donc changé de fournisseur ?

«Le maître d'hôtel, qui croyait à une dispute avec des clients, était accouru.

«— Messieurs, Strasbourg se relève à peine de l'administration allemande. La guerre a fait beaucoup de victimes parmi les ouvriers de l'industrie alimentaire. Les saucisses manquaient cette semaine. Nous leur restons fidèles, croyez-moi. À peine la situation rétablie...

«Juan se lamentait.

«— Je voulais introduire une saucisse dans mon tableau, je voulais la poser, comme un archet, sur les cordes de la guitare. Cette saucisse en forme de virgule, cette saucisse courbe me coupe l'inspiration.

«— Eh bien, dis-je, comme frappé d'une illumination, revenons à la courbe. Tu verras, Juanito, comme la courbe fera bien dans une toile cubiste. N'en avons-nous pas assez de la géométrie rectiligne ? Ami, nous commençons à nous répéter, ne trouves-tu pas ? Adoptons, comme nouveau mot d'ordre, *Retour à la courbe.*

«Juan commença par se renfrogner.

«— J'avais morcelé exprès en facettes le contour de ma guitare pour éviter l'odieuse apparence de rondeur, et tu veux flanquer par terre mon travail !

«— Juanito, crois-moi, l'angle aigu a fait son temps. Songe au bonheur de ta vieille mère, quand elle constatera que son fils se souvient d'avoir été *bercé* dans *l'arc arrondi* de ses deux bras *recourbés.*

« Il me prit alors les mains et nous nous mîmes à chanter à tue-tête : “La courbe ! La courbe !” C'est ainsi que la religion de la ligne droite et des angles aigus a été détrônée. Dès le lendemain, je peignis deux femmes au bord de la mer, la tête appuyée dans le *cercle* de leurs bras, près d'un garçon qui jouait au *ballon* et d'une fillette courant après son *cerceau*. Ce repas avait eu une importance historique.

La galéjade, pour le coup, était grosse, mais l'oncle Alphonse la goba. J'eus pitié de le voir si crédule. Il décida d'ajouter à son livre un chapitre intitulé *Comment s'est produit le retour à la courbe*. Toute la journée nous l'entendîmes chantonner : « La courbe ! La courbe ! », comme les médecins de Molière ânonnent : « Le poumon ! Le poumon ! »

Je dois m'embrouiller dans la chronologie de mon récit, car je me rappelle tout à coup la mort de Staline et les incidents qui ont suivi. Or Staline est mort un 5 mars, et Pablo était à Perpignan chez nous. Les enfants de Françoise n'étaient pas là, mais Paulo l'avait accompagné. Je croyais tous mes souvenirs de Pablo liés à l'été, au soleil de l'été, au plaisir de marcher à l'ombre dans les rues étroites, à l'odeur sèche qui monte des champs. 5 mars : était-ce le mois antérieur à l'été raconté au chapitre précédent ? Ou l'hiver de la mort de Staline a-t-il suivi cet été de l'abandon de Françoise ?

La radio nous apporta la nouvelle tandis que nous dînions. Paulo fondit en larmes et quitta la table, Pablo continua à manger de bon appétit. Peu après la poularde aux marrons, le téléphone sonna. Je répondis. Aragon demandait à lui parler. Pablo, d'un signe de tête, refusa. Aragon insista, Pablo dut s'exécuter. Nous captâmes les échos de ce qui devait être une vive discussion, au bout de laquelle il eut l'air d'accepter. Il revint à table et nous dit :

— Aragon veut un portrait de Staline pour *Les Lettres françaises*. Comment vais-je m'y prendre ? Je n'ai jamais vu Staline, je ne possède aucune image de lui, je ne sais à quoi il ressemble, si ce n'est qu'il a une vareuse d'uniforme pleine de boutons dorés par-devant, des dizaines de rubans et de médailles accrochées sur la poitrine, une casquette et une moustache en balai-brosse.

Il paraissait très contrarié. Évidemment, cette commande réveillait en lui un vieux conflit et le mettait dans le plus grand embarras. Un artiste peut-il se mettre au service d'une cause ? Où finit l'art, où commence la propagande ? La chose se compliquait encore de deux circonstances : il était entré au Parti communiste sous l'influence d'Aragon, dont la demande était pour ainsi dire la conséquence normale de son adhésion ; et sa peinture, violemment attaquée en URSS, n'était défendue qu'assez mollement par le Parti. Ce serait pour lui, ce portrait de Staline qui figurerait en première page du grand hebdomadaire, une occasion de rentrer en grâce auprès de sa famille politique ; et peut-être, cet acte d'allégeance aux nouveaux dirigeants de l'URSS, une chance d'ouvrir à ses tableaux un marché fermé jusque-là.

Il se mit au travail, plus résigné que convaincu. Deux jours après il nous montra le dessin qu'il s'apprêtait à expédier. Il n'avait fait que la tête, même pas le buste avec les médailles. On aurait dit le portrait de l'oncle Alphonse, plutôt que celui de Joseph Staline. Oui, c'était tout à fait l'air de l'oncle Alphonse, entre intéressé et chafouin, poli et buté, rusé et bonhomme.

— On t'accusera de sabotage, dit Totote, tu vas te couler définitivement.

— Bon, convint-il, si j'essayais de peindre pour de vrai l'oncle Alphonse, peut-être ressemblerait-il à Staline ?

Le trait d'humour était si forcé qu'il eut peur d'une nouvelle querelle avec son fils. Il déchira le dessin et envoya Paulo à la section locale du Parti pour se faire apporter toutes les photographies de Staline disponibles à Perpignan.

Son choix se porta sur une photo prise en 1903. Voulait-il souligner la *jeunesse éternelle* du modèle ? Staline, dans son nouveau dessin, n'était pas seulement jeune, il avait des yeux cruels et un sourire carnassier à peine dissimulé sous une moustache ironique. Je crois que, tiraillé entre le devoir politique et sa conscience d'artiste, Pablo cherchait par cette petite insolence à se faire pardonner d'avoir cédé à la commande d'un portrait *officiel*. Sans le montrer à Paulo, il transmit le dessin à Aragon, qui le publia dans le numéro du 12 mars. Incroyable fut la violence des réactions. Le Parti, les abonnés du journal, la masse des adhérents se sentirent offensés : Saint-Père du communisme, Grand Sachem rouge, Staline était pour eux le doux, chenu, bienveillant patriarche, imprégné d'une sagesse acquise par le sentiment d'avoir rempli sa mission, riche d'une bonté paternelle infinie, objet d'une vénération universelle, tel que les foules de gauche l'encensaient depuis la fin de la guerre. Ils crièrent au blasphème.

Aragon l'avertit que *L'Humanité* publierait dans le numéro du 18 mars un communiqué du Secrétariat du Parti désavouant la publication du dessin. Pablo envoya, dès la première heure du 18 mars, l'oncle Alphonse chercher le journal au kiosque de la place Arago. Nous attaquions le petit déjeuner, quand l'oncle Alphonse revint avec le seul numéro de *L'Humanité* distribué à Perpignan.

— Aimée, posez votre tartine et lisez, dit Pablo.

— « Sans mettre en doute les convictions du grand peintre dont chacun connaît l'attachement à la classe ouvrière, le dévouement à la cause du prolétariat et le zèle à servir les objectifs du Parti, nous condamnons ce dessin, nuisible, par la trop grande dissemblance entre le modèle et le portrait, au développement du réalisme socialiste. Confiants que la précipitation est seule responsable de ce faux pas, nous ne doutons pas que le grand peintre retrouve l'inspiration qui lui a dicté si opportunément la fameuse colombe, dont le vol... »

— Suffit, dit Pablo.

Nullement affecté de cette remontrance, amusé au contraire du ton papelard avec lequel on le sermonnait, il s'écria (je crus m'étrangler en avalant de travers la première gorgée de mon café au lait refroidi) :

— Ah ! ces chattemites qui pérorent derrière leurs bureaux ! Et ce faux-cul d'Aragon, qui avait sûrement prévu le scandale mais a fait exprès de me compromettre ! Regardez : ils se sont empressés de *corriger* mon dessin en publiant cet affreux portrait de Staline par Fougeron. Qu'auraient-ils dit, si j'avais fait Staline en pied et tout nu, comme Michel-Ange a fait son David ? Pour les Florentins de cette époque, David incarnait les valeurs de la République, c'était le héros par excellence, il ne pouvait donc être représenté que nu. Un homme nu, à la Renaissance, personnifiait le courage, l'innocence, la droiture, l'amour de la patrie, les vertus citoyennes. Sa nudité était la preuve qu'il ne gardait aucune arrière-pensée, aucune ambition politiquement suspecte. Mais comment traiter, à notre époque pudibonde, ce qui contribuait autrefois à la renommée du héros ? Si je le lui avais fait trop petit, ils se seraient exclamés : Quoi, le Père des Peuples aussi maigrement équipé ? L'indignation eût été pire si je le lui avais fait trop gros. Un membre dodu et charnu ? Camarade, tu le prends donc pour un satyre !

Nous étions tous pliés de rire. Il vida en hâte sa tasse et remonta dans son atelier.

L'idée de Staline tout nu l'incita à se moquer de la pruderie des dirigeants communistes, par une suite de dessins érotiques poussés au grotesque. S'inspirant de ce qu'il avait vu à Pompéi, il plaça sur le plateau d'une balance un exemplaire du *Capital* de Marx, sur l'autre plateau un engin démesuré, apanage et orgueil, selon la didascalie, du *Grand Maurice*. Le fléau penchait du côté de l'engin. Pour Benoît Frachon, ce fut carrément un marteau-piqueur, et, pour Jacques Duclos, une mitraillette. Aragon eut droit à un tire-bouchon dont la spirale s'enroulait aux poils du pubis. Sa rancœur contre le poète datait de bien avant cette affaire. Il louait l'auteur du *Crève-cœur* et de *La Diane française* d'avoir rompu avec le prétentieux Breton, qu'il qualifiait de *chef scout poussé du col.* Renoncer aux facilités du surréalisme et réhabiliter le vers régulier et la rime, c'était faire preuve d'un grand courage. (Curieux, non ? que Pablo puisse être à l'avant-garde quand il peint, et conservateur dans ses lectures.) Mais il gardait une dent contre le militant politique, parce que c'était lui, naguère, qui, non content de le faire adhérer au Parti, lui avait commandé des affiches de propagande et l'avait enfermé dans le rôle, odieux pour lui, d'artiste *engagé*.

15

Mort de Prokofiev

Quand l'émotion soulevée par la mort de Staline eut décru, les journaux nous apprirent, une semaine plus tard, que le 5 mars, le même jour que lui, deux heures après, était mort à Moscou, non loin du Kremlin, le compositeur russe Sergueï Prokofiev. Le premier événement avait été trop considérable pour laisser place à une nouvelle qui n'intéressait qu'un nombre réduit d'amateurs. La presse soviétique venait seulement de la rendre publique. «Nous n'oublierons jamais *le Grand artiste du Peuple*, qui a porté au loin etc.» Paulo, qui avait pâli à l'annonce de cette mort, se mit au piano et joua un morceau à la mémoire du disparu. C'est un garçon renfermé, qui ne s'extériorise que par brusques détentes, sous le coup tantôt d'une émotion trop douloureuse, tantôt d'une colère subite. À la façon dont en se levant il fit claquer le couvercle, nous devinâmes la profondeur de son chagrin. Il se sauva dans sa chambre sans dire un mot.

Les jours suivants, les journaux français épluchèrent la carrière du défunt. On passa au crible les différentes étapes de sa vie. Et toujours cette même interrogation revenait, dans la presse bourgeoise que nous lisions à Perpignan, le même étonnement peiné : pourquoi le compositeur de *Chout* et de la *Suite scythe*, œuvres révolutionnaires s'il en fut, qui avait eu le bon sens de quitter la Russie en 1918 pour les États-Unis où ses provocations qui rivalisaient d'audace avec celles de Stravinski recevaient un accueil triomphal, pourquoi cet auteur d'avant-garde, cet épouvantail des académies, ce dynamiteur de la tradition, était-il revenu en URSS au milieu des années 30, précisément au moment des réactions contre le modernisme ? Victime de quelle aberration, lui qui jouissait d'une liberté totale à l'étranger, s'était-il jeté dans la gueule du loup ? Ne savait-il pas que la censure étouffait dans son pays natal la création artistique ? Qu'il lui serait impossible de continuer à écrire comme il voulait ? Que son génie s'étiolerait fatalement en se pliant aux directives du Parti ?

De fait, le sinistre Jdanov n'avait pas tardé à l'inscrire sur la liste noire des artistes soupçonnés de menées contre-révolutionnaires. Les rappels à l'ordre, les retraits de ses œuvres des programmes de concert, les menaces de camp de redressement s'étaient succédé. Contraint à de mortifiantes autocritiques, il avait dû se fendre d'un oratorio, *La Garde de la paix*, dédié « aux larmes des mères et des orphelins des villes détruites pendant la guerre », et d'un ballet, *Fleur de pierre*, à la gloire du « travail créateur » qui seul peut « remplir de joie l'âme de l'ouvrier et du paysan soviétiques». Ces deux navets, d'un pompiérisme écœurant, lui avaient valu, honte suprême, tour à tour le prix Staline et la médaille du Drapeau rouge accordée aux «artistes méritants de la République».

— Quelle atroce humiliation, disait Paul en brandissant ravi la photo de Prokofiev prostré sur une banquette avec deux de ses collègues, Chostakovitch et Khatchatourian, devant Jdanov en train de leur passer un savon.

Georges Auric, en visite chez nous ce jour-là, ménagea la chèvre et le chou. Il se rappelait les visites qu'il avait faites au jeune homme à Paris, rue Valentin-Haüy, près de la place de Breteuil, à l'époque où il écrivait lui-même la musique d'un ballet pour Diaghilev.

— Un rebelle, un démon, un fou, incapable de supporter la moindre contrainte ! Il travaillait alors à son troisième concerto, le plus diabolique. Les voisins se plaignirent. Il dut louer une chambre de bonne au sixième pour taper sur son piano pendant la journée. En vain lui disais-je qu'on peut être un grand compositeur sans forcer autant sur les décibels ! Un peu d'avant-garde, *ma non troppo !*

Intéressé au plus haut point par cette affaire, Pablo prenait part aux discussions.

— Vous vous étonnez de sa décision ? Mais c'est bien simple : il voulait revoir sa patrie. Se replonger dans la terre russe. Croyez-vous que l'Espagne ne me manque pas ? Prokofiev, même s'il était surveillé par le

Comité central, a pu vivre librement à Moscou, quitte à donner de temps en temps des gages de sa bonne foi communiste. Moi, on me mettrait en prison, à peine franchi le col du Perthus. Ici, chère Aimée, je retrouve un peu mes racines. Prokofiev devait rentrer en Russie sous peine de perdre définitivement les siennes. Chagall me disait souvent qu'un Russe éloigné de la terre russe a beaucoup de mal à survivre. Un Russe est beaucoup plus attaché à sa terre natale qu'aucun autre peuple à la sienne. La nostalgie de son pays ronge le Russe dès qu'il arrive à l'étranger.

Paulo, assis sur le tabouret du piano, feuilletait une partition des *Visions fugitives*. Il releva la tête et apostropha son père.

— C'est vrai, Prokofiev a vécu librement en Russie. La Russie est le pays de la liberté, comme Sartre l'a encore affirmé à son retour de Moscou. Pourquoi donc n'es-tu jamais allé en Russie ? On t'attend là-bas, on te fêtera, le Parti ordonnera aux journaux de mettre une sourdine à leurs critiques.

Ce n'était pas la première fois que Pablo entendait ce reproche : lui qui vantait dans ses interviews les « conquêtes du socialisme » et les « grandioses réalisations du Plan quinquennal », déclinait les invitations à aller s'en rendre compte sur place. Sans doute avait-il un prétexte : l'hostilité des milieux artistiques à son égard. Mais la sortie par laquelle il justifia son refus nous sidéra.

— Il n'y a rien à gagner là-bas, dit-il brutalement à son fils. Qui pourrait payer mes tableaux à leur valeur ?

Le marché de l'art est nul, les galeries inexistantes, l'État ne finance que les tracteurs, les barrages et les centrales électriques.

Je connaissais son cynisme, mais refuser pour une raison aussi basse de donner un mois de son temps à un pays ami, se dérober à ce léger sacrifice, prendre son intérêt personnel comme seul idéal me choqua. Paul se frottait les mains. L'oncle Alphonse se demandait comment insérer cette remarque dans sa biographie sans ternir la figure du grand homme.

— Il n'y a que l'argent qui t'intéresse, reprit Paulo, déchaîné. Tu as besoin de vivre au milieu de gens riches, au contact de gens riches, qui acceptent les prix que tu leur fixes. La Révolution a supprimé ces gens en Russie. Prokofiev a très bien compris qu'il pouvait lui aussi, comme toi avec tes portraits de femmes dont l'œil est logé à la place du nez, continuer à martyriser les oreilles à coup de dissonances, de stridences, de détonations, de pétarades de moteurs, de grincements d'acier. Les rombières de New York et de Paris étaient à ses pieds. Craignant de ne plus être *à la page* si elles n'acclamaient pas ce qui déchirait leurs tympans, elles remplissaient les salles d'où les travailleurs étaient exclus, autant par l'agressivité de sa musique que par le prix des billets. Mais il a réfléchi, lui. C'est dommage que tu ne l'aies pas rencontré. Il t'aurait expliqué que le peuple ne comprend pas qu'un visage puisse être représenté simultanément de face et de profil. Le peuple refuse toute déformation qui va à l'encontre de la vérité et met au supplice ses facultés sensorielles. Ce type d'art, que vous appelez art moderne, art d'avant-garde, art de gauche, est réservé à un petit nombre d'initiés, qui n'y comprennent goutte mais pour cela même sont prêts à vous signer de gros chèques. Prokofiev a écrit que trois mélodies superposées sont le maximum de ce qu'une oreille moyenne peut percevoir et suivre en même temps. Plus de trois mélodies à la fois, c'est du bruit incompréhensible, de la répugnante cacophonie. Il est rentré en URSS par honnêteté intellectuelle, pour fuir la tentation du profit obtenu au mépris du bon sens. C'était son devoir, pensait-il, que de revenir à des airs faciles à mémoriser, *cantabili*, comme disent les Italiens, qui ont l'oreille la plus fine au monde.

— Manolo, dit Totote, regrettait de ne vendre qu'à des bourgeois.

Paul saisit l'occasion de resservir sa marotte alimentée par *Le Figaro* :

— Les artistes de gauche n'ont pour audience qu'un public de droite.

— C'est pourquoi, reprit Paulo, il n'est pas mauvais que l'État intervienne. Les compositeurs comme les écrivains sont maintenant en Russie des salariés, ni plus ni moins que les plombiers ou les maçons. Une politique de gauche est celle qui s'appuie sur la masse des travailleurs, et l'URSS est le seul pays qui ait fait le choix de cette politique. Seconder l'instinct musical du peuple au lieu de le torturer, voilà la seule ligne à suivre pour un régime progressiste. Les inventions sans queue ni tête, les fantaisies incontrôlées, les dérives d'un subjectivisme irresponsable ne seront plus tolérées. La musique doit être simple et accessible, sans perdre en qualité. Prokofiev n'a pas cru déchoir en s'efforçant d'être compris immédiatement. Avoir mis de côté l'âpreté au gain, le flafla mondain, la vanité personnelle, est tout à sa gloire. Il cessait d'être *auteur* pour entrer en communion avec son peuple. Le public s'enthousiasme pour l'audace de Roméo dans le palais des Capulet, il épouse chacune des péripéties de ses amours, il pleure avec lui devant le tombeau de Juliette. De la première à la dernière note du ballet, la salle vibre à l'unisson des deux héros.

Raymond fit observer que si la photographie et le cinéma connaissent un développement si spectaculaire en URSS, c'est parce que derrière un objectif on ne peut pas tricher avec la réalité.

— Les choses existent *en soi*, opina gravement l'oncle Alphonse.

— Mais les théoriciens du Proletkult, dit Georges Auric, ont tort de s'immiscer dans les programmes des concerts et d'imposer leur choix.

— N'est-il pas normal qu'un État qui subventionne les orchestres et finance la construction de salles de concert et d'opéra coûteuses ait un droit de regard sur les œuvres proposées au public ?

Paulo continua à déblatérer contre le snobisme des mélomanes occidentaux. Il se lança dans l'apologie des plus belles œuvres *soviétiques* (il insista sur ce mot) de Prokofiev parvenues à notre connaissance, les ballets *Roméo et Juliette* et *Cendrillon*, la musique des films *Ivan le Terrible* et *Alexandre Nevski*, la *Cinquième Symphonie*.

Auric, qui pratiquait à ses débuts la musique savante mais l'avait abandonnée depuis longtemps pour s'adonner à la musique de films, plus lucrative, hochait la tête, convaincu. *Moulin Rouge*, sorti récemment, remportait un succès colossal.

— Ton fils a raison, dit-il, heureux d'avoir trouvé dans l'éloquence passionnée de Paulo une caution qui soulageait sa conscience. Nous nous étions trop éloignés, nous les Six, de la sensibilité populaire.

— Évidemment, dit Pablo, ça te botte d'avoir entendu, en allant nous acheter le pain, ta valse sifflotée par le garçon boulanger ! Les airs de ton nouveau film sont sur toutes les lèvres à Perpignan. Bravo ! Ça te réussit bien, le cinéma ! Comme tu as grossi, depuis qu'on te rémunère à hauteur de ton talent !

Il quitta vite ce persiflage anodin pour s'acharner sur une autre victime. Son œil qui possède la faculté de s'ouvrir tout grand, comme s'il s'apprêtait à engloutir l'objet de sa vision et à dévorer ce qu'il regarde, était dardé sur Paulo avec une fixité méchante. À son air excédé, on devinait qu'il préparait une riposte aux attaques de son fils.

Enfin, il trouva la parade. Quelle scène affreuse, si j'y repense !

— Paulo est naïf, m'a dit ensuite Totote, il s'emballe comme un poulain. Assurément; mais de bien plus mûrs que lui, de plus instruits, les Romain Rolland, les Malraux, ont eu foi dans cette utopie et nié les innombrables victimes qu'elle a faites. Et Sartre lui-même? On a beau être philosophe, on se laisse berner comme le premier gamin.

— Ou l'on vend de mauvaise foi son âme par peur de ne pas avoir l'air suffisamment de gauche. Sartre est prêt à toutes les impostures pour garder l'audience de la jeunesse, ripostai-je, avertie par les justes et impartiaux articles de Raymond Aron, les seuls lisibles du *Figaro.*

Paulo cependant avait l'excuse de son âge. Se dresser à trente ans contre la société bourgeoise n'est pas vraiment un péché. Il ne méritait pas une algarade aussi cruelle. Quelle volée de coups de bâton en effet!

— L'Hispano-Suiza que tu aimes tant conduire n'est pas précisément l'auto des prolétaires! C'est bien joli de se dire de gauche quand on profite de la fortune de papa! Va donc travailler en usine, si la cause du peuple te tient tellement à cœur. Pour les bains de mer et les randonnées en montagne, tu pourras te brosser, fiston. Fais donc tes bagages et cours vivre à Moscou, en appartement communautaire, un lavabo, une cuisine et une chiotte pour douze! Et la moitié à dormir dans le couloir, enroulés dans une couverture!

«Et puis – quels traits vraiment atroces il lui a décochés – il faut que je te dise une chose que je t'ai toujours cachée. Crois-tu que j'ignore pourquoi tout ce qui vient de Russie te paraît si magnifique ? Tu idéalises la Russie et tu portes aux nues ton Prokofiev par amour de ta mère russe. En jouant du Prokofiev et du Scriabine, tu crois accomplir, en quelque sorte, un *devoir filial*, comme si tu t'unissais à elle par ce qu'elle aime le plus. Ton piano est une façon de la serrer dans tes bras et de te sentir serré par elle. Il est donc temps que tu saches la vérité. Tu vis sur une chimère ridicule. Ta mère Olga l'exècre, ta Russie ! Elle est entrée dans la troupe de Diaghilev un peu pour danser et beaucoup à cause des tournées à l'étranger. C'était pour elle le seul moyen de quitter un pays détesté, l'unique passeport lui permettant d'aller vivre en France, en Italie, n'importe où hors de Russie !

«Ta mère a toujours abhorré sa terre natale ! Elle se moquerait de t'entendre prendre la défense d'un pays dont tout lui fait horreur, le froid, la neige, la boue, la kacha, la soupe aux choux, la pauvreté, la police, le fond paysan, inculte et grossier de la population, les gens qui viennent en galoches aux ballets ! Tout, même la musique ! Moussorgski n'est pour elle qu'un ivrogne, Tchaïkovski un pédé, Chostakovitch et Prokofiev des opportunistes, le premier resté et le second rentré en URSS par servilité de courtisans. Et toi, sache-le, elle te considère comme le boulet qui la rattache malgré elle à un sol haï. Elle ne veut pas être russe, elle ne veut pas se souvenir d'avoir été russe, mais ta seule existence l'ancre dans un passé maudit. Tu es son désespoir, sa damnation. Elle me disait souvent : *Ah! s'il pouvait n'être pas né! J'ai perpétué en lui l'odieuse lignée des Khokhlov!*

Ce coup final acheva le pauvre garçon. Il s'enfuit, tandis que son père remontait tranquillement à l'atelier mettre, dans ses portraits de femmes, *les yeux à la place du nez.*

16

Un poème

À nouveau, l'été.

Il feint la bonne humeur, l'entrain, joue avec ses enfants, ignore Paulo, taquine Maria, grimace dans le dos de Jacqueline, nous égaye de ses blagues, mais ce n'est qu'une façade, on le reconnaît à ce signe : l'énigmatique tableau en cours n'avance pas, me dit Totote, la toile qui le recouvre n'a pas bougé d'un centimètre, il ne s'est même pas aperçu qu'elle en avait relevé un coin, à dessein, non pour regarder, mais pour voir s'il remarquerait l'indiscrétion. Il a poussé le chevalet de côté, sous les combles, laisse le pinceau et les tubes de couleurs sécher sur l'établi, il ne peint plus. Que fait-il alors, durant les heures passées dans l'atelier ? Il noircit des feuilles de papier, qu'il déchire ensuite et jette dans la corbeille. Écrire l'amuse, je ne le nie pas, mais justement l'*amuse*, le *distrait*. Écrire (des vers ? des contes ? du théâtre ?) n'est pour lui, depuis toujours, qu'un moyen de franchir une passe difficile. Une diversion. Un pis-aller. Lors de sa rupture avec Olga, il avait cessé de peindre pour écrire. Les émotions trop fortes, qu'elles soient d'ordre privé ou de nature politique, le détournent de son occupation favorite. Sous l'occupation allemande, il y est allé d'une pièce de théâtre, lue ou jouée, je ne sais plus, chez ses amis Louise et Michel Leiris, devant une poignée d'écrivains. Et maintenant, en pleine déroute sentimentale, il échange une fois de plus le pinceau contre la plume.

« Sentimentale », ai-je écrit ? Cette épithète lui convient-elle ? A-t-il jamais été un homme de « sentiment » ? Je me pose même ces questions : « Aimait-il » vraiment Françoise ? « Souffre-t-il » vraiment d'être abandonné ? Il est aux abois, c'est certain, il a l'impression que sa vie est dévastée. Mais si j'essaie d'analyser les composantes de son désarroi, je trouve :

1° Une blessure d'amour-propre ; Pablo a été *remercié* : c'est elle qui le quitte ; en cinquante ans d'aventures conjugales successives, cela ne lui était jamais arrivé. Jusque-là, il était le maître de sa vie ; il prenait et renvoyait ses maîtresses, aussi facilement qu'on change de restaurant ou de lieu de villégiature ; il troquait l'une contre l'autre par une décision toujours unilatérale. Pour la première fois, c'est lui qu'on plante là ; il perd la main ; il doit subir son sort, au lieu de le gouverner.

2° Pour aggraver cette blessure d'amour-propre, une dose non négligeable d'espagnolisme : un homme du Sud, un Andalou, est particulièrement vexé de constater qu'il ne plaît plus à une femme dont il a été longtemps l'amant. Si le bruit de sa disgrâce se répand, on applaudit au rival qui a planté sur son front, en banderillero efficace, *los cuernos* du déshonneur. Honte de son quartier, désespoir de sa famille, risée de ses amis, le voilà livré à l'opprobre général.

3° Le regret de n'avoir plus sous la main une femme prête à prendre la pose à n'importe quelle heure du jour ou de la nuit. Françoise lui ôtait l'embarras de se mettre à la recherche d'une modèle. Gain énorme de temps et de fatigue – sans compter l'économie.

4° Le dépit de n'avoir plus, chaque soir en se couchant, une concubine à sa disposition. Là aussi, gain de temps et de confort pour l'homme pressé – d'argent pour le parcimonieux.

5° La soudaine prise de conscience de son âge et de l'abîme de quarante ans entre Françoise et lui.

6° L'angoisse de l'impuissance, sans doute la cause la plus profonde de la crise. Le tuyau de poêle, par ses indiscrétions, ensuite Paulo, par son mot cru, nous avaient révélé le contenu des revues mystérieuses, impossibles à trouver chez les libraires de Perpignan. Aux adeptes des campings naturistes qui ont une façon particulière d'exploiter *la nature* mais peinent à y réussir, elles conseillent des moyens de substitution à effet immédiat, témoignages et photos à l'appui.

En tant que femme, je ne vois dans aucune de ces six composantes ce que j'appelle « amour d'un homme pour une femme », c'est-à-dire oubli de soi pour cette femme, inquiétude pour le bien-être de cette femme, priorité donnée à ce qu'elle veut, à ce qu'elle souhaite, souci de la rendre heureuse. Françoise n'était pour lui qu'un *objet commode* : commode pour le travail, commode pour le sexe, commode pour se rassurer sur son âge, sa virilité, commode pour vérifier son pouvoir de séduction. À la façon dont il me regarde, je devine que si je n'étais pas mariée à son hôte, il me prendrait comme remplaçante : je ferais tout aussi bien l'affaire. Or, il ne *m'aime* pas. Mais j'ai tous les attributs qu'il recherche dans une femme. Peut-être hésite-t-il entre Jacqueline et moi. S'est-il jamais préoccupé des sentiments intimes de Françoise ? A-t-il été soigneux de sa santé, de ses aspirations, de son bonheur ? Voulait-elle vraiment deux enfants d'un homme déjà vieux ? N'est-ce pas lui qui les lui a imposés ? Pendant ces dix ans, il s'est *servi* d'elle, pour les multiples usages qui lui convenaient. Il ne *souffre* pas de son départ, ça *l'embête* de ne plus l'avoir à sa disposition, à son *service*. La différence est immense.

C'était sa sixième compagne de longue durée : après Fernande, ce fut Eva ; après Eva, Olga ; après Olga, Marie-Thérèse ; après Marie-Thérèse, Dora ; après Dora, ç'a été Françoise… Toutes choisies très jeunes, pour le double service du travail et du sexe, sans s'aviser qu'il vieillissait, lui ; toutes bonnes à jeter après usage, sans se soucier de leurs sentiments. Qui étaient-elles en elles-mêmes ? Qu'attendaient-elles de la vie ? De leur vie avec lui ? Elles étaient *recrutées*, de la même façon qu'un propriétaire de champs de blé ou de vignobles embauche une main-d'œuvre pour la moisson ou la vendange. Enfant, il aura vu en Andalousie cette pratique de l'enrôlement saisonnier. Inscription précaire, sans contrat, sans garantie d'avenir. Sur ces six femmes, il n'en a épousé qu'une.

En fait, il n'aime que son travail, il n'aime que créer, inventer, tout le reste lui est égal, sauf qu'il a besoin, pour son travail, d'une auxiliaire indispensable : une modèle à peindre pendant la journée, une femelle à prendre le soir ; si possible, la même. Comme ça, il n'a pas à sortir, à payer, à se mettre en quête, à craindre d'essuyer un échec et de rentrer bredouille. L'activité sexuelle n'est pour lui qu'un stimulant à peindre. Je l'ai vu un jour saisir à la terrasse d'Espy une bouteille de soda en plastique qu'il a modelée, façonnée, pétrie, malaxée, triturée, déformée, reformée pour la métamorphoser en corps de jeune fille. Il aurait bien couché avec cette bouteille, s'il avait pu. Il se contenterait, comme ce Gogol dont Paulo m'a fait lire le conte, d'une poupée gonflable perfectionnée.

J'ai l'air de l'accuser, de pester contre lui, d'incriminer son égoïsme. Mais avons-nous le droit, nous autres femmes, de qualifier d'égoïste un homme pour qui nous n'existons qu'en fonction de ce qu'il trouve en nous d'*exploitable* ? Pablo est un génie, auquel toute femme devrait être fière de se sacrifier. Françoise, qui dessine et peint elle-même et cherche à se faire un nom, aura pensé :

« Si je reste dans son ombre, autant renoncer à tout espoir de percer. En cas de réussite, on dira, avec un sourire aigre-doux, que c'est parce que je suis sa compagne et qu'il m'a imposée aux collectionneurs et aux galeries. Soit on me dénigrera comme une *opportuniste*, qui a voulu *profiter* de la situation, soit on me flattera pour le flatter indirectement. Et *moi* ? Tant que je demeurerai dans son orbite, je n'existerai jamais comme Françoise Gilot. Suis-je née pour être satellite de sa gloire ? »

La sotte ! Qu'elle continue à dessiner et à peindre, elle ne passera à l'histoire que parce que, justement, elle a été sa maîtresse. Un peu d'humilité, s'il vous plaît ! Je sais, pour ma part, que le nom de Sorrède n'a une chance d'échapper à l'oubli que parce que nous avons eu l'honneur de l'héberger dans notre hôtel. Françoise, à peine élue, aurait dû abdiquer son *je*, son *moi*. Revendiquer les droits du *je*, du *moi*, est indigne d'une âme un peu noble qui se trouve en présence de plus grand que soi. Le rêve suprême des élèves et des aides de Vélasquez, de Zurbarán, de Murillo, m'a-t-il dit un jour, c'était de rester anonymes.

En vidant sa corbeille dans la poubelle de la cuisine, Totote a remarqué une feuille qu'il n'avait pas déchirée, écrite en français à l'encre rouge. Pourquoi à l'encre rouge, sinon pour être repérée plus facilement et attirer l'attention ? Plus ou moins involontairement, ne cherchait-il pas à la mettre sous nos yeux ? Totote me l'apporta. Nous l'avons défroissée, aplatie et lue. On nous accusera d'indiscrétion, mais ce n'en fut pas tout à fait une. La pudeur andalouse, demeurée si forte en lui, l'obligeait à passer par ce truchement.

Ce n'était pas une page d'écriture automatique, comme il avait quelquefois essayé – à contrecœur, sous l'influence de son ami Éluard –, mais un poème sophistiqué, en forme fixe, à l'ancienne, les lignes régulières étant disposées en colonnes. En haut à gauche, sur le coin de la feuille, il avait écrit, à l'encre noire : « D'après la ballade du poète de Salamanque et disciple de Góngora, l'excellent Mariano Rodriguez y Gonzalez, trouvée dans la bibliothèque de Paul. » Truffé de mots en latin ou en espagnol, macaronique par l'abus des métaphores, le poème m'amusa, malgré le fond de trouble et d'inquiétude qui s'y devinait.

Hébergé avec bienveillance
In pluribus refugiis
Et amœnis deliciis,
Si je l'avais comme à vingt ans

Le thyrse de Bacchus !
Mais comme je vous l'annonce,
Il a mué *de caliente a frío* ;
Très pâle, fini de se dresser.

ENVOI
Femmes, passez votre chemin,
Racorni comme un vieux parchemin,

Il ne me sert plus qu'à pisser.
J'en suis hué autant qu'un chien.

— Arrêtons-nous là, dit Totote.

Trop bouleversée pour lire la suite, elle voulait déchirer la feuille, la jeter une bonne fois et oublier une aussi mortifiante litanie. J'ai dû la forcer à déchiffrer avec moi le reste de la ballade. Non par simple curiosité. Selon moi, ces doléances étaient trop ingénieusement tournées pour devoir être prises au sérieux.

Tant que je pus m'escrimer
De cymbalis cliquentibus,
Je fus des dames chéri,
Me semper excitantibus;

À présent je suis *de dormientibus*,
Vieux, goutteux, je n'ai plus le pouvoir
D'être *con mujeres*:
Je ne peux plus *caudam* mouvoir.

Femmes, je suis sans force
Et livré à vergogne haute
Car *mihi dolet fons vitæ*
Et l'état de mon corps entier.

À *nada* ne *soy* plus bon
Qu'à la voir pendre inerte,
Ratatinée, fripée, flapie;

La cire a coulé de la chandelle.

Qui eût pensé qu'en si court temps
Le palefroi au pas sonore
Se fût mué en haridelle
Et le jeune bouc en vieille pécore ?

ENVOI
Exit gaudiorum princeps,
Il ne peut plus *caudam* mouvoir,
Periit gloria mundi,
Femmes, passez votre chemin.

— S'il plaisante ainsi, c'est qu'il ne croit pas à ce qu'il écrit, dis-je à Totote, que je voyais sur le point de fondre en larmes.

— Jamais un homme ne s'est humilié aussi bas, murmura-t-elle.

— Mais non, ce poème est un moyen de conjurer ce qu'il a peur de lui voir arriver un jour.

— Il est à bout, Aimée. Il avoue ce qu'il y a de plus humiliant pour un homme.

— Un homme à bout n'écrit pas un poème aussi élaboré, un homme à bout ne respecte pas avec autant de scrupules les artifices de la poétique baroque. Je t'accorde qu'un humour aussi noir doit correspondre à une angoisse. Mais cette angoisse, il la conjure en la transformant en exercice de style. Ne nous a-t-il pas parlé souvent de ces objets fétiches africains dont la fonction est d'écarter le danger ? Ces vers remplissent le même office. Ce qu'il nomme, il le met au défi de se réaliser. C'est le talisman qui le protège contre le malheur qu'il redoute.

Elle m'a regardée d'un air sévère.

— Nous avons eu tort de le lire. Et toi, pour t'en laver les mains, tu déclares : ce n'est que de la littérature. Trop facile... Je trouve que tu te défausses à bon compte... Ta conscience est-elle tranquille ? Ne sommes-nous pas, toi et moi, responsables de son bonheur ? Quel aveu que ce poème ! Surtout, qu'il ne se doute pas que nous l'avons lu...

— Pourtant, dis-je après un moment de réflexion, pourquoi est-ce justement celui-là qu'il n'a pas déchiré et qu'il a écrit à l'encre rouge ?

17

Le linteau des Albères

La chaîne des Albères, collines boisées placées en avant-poste des Pyrénées, va de Céret jusqu'au promontoire qui marque la frontière espagnole. Paulo nous emmena à sept dans l'Hispano-Suiza. Après Le Boulou, la voiture franchit le Tech, dont la sécheresse persistante avait réduit le niveau à un filet presque imperceptible au milieu d'un lit de graviers blancs aux scintillements micacés. On obliqua ensuite vers la gauche, en direction d'Argelès et de la côte. La route étroite qui longe les premiers contreforts est bordée de platanes sur un côté. Devant cette rangée d'arbres fortement inclinés, presque couchés par l'habitude de la tramontane, il s'exclama :

— Regardez ! c'est du Soutine nature !

Nous étions à la fin de l'été, il me semble ; par un de ces ciels très purs, où la lumière qui se glisse entre les feuilles les rend transparentes ; où flotte une brume de chaleur, si agréable après la canicule de juillet et d'août ; où la terre et le ciel se confondent dans une gloire de clarté. Les vignobles dominent dans la plaine que nous parcourions; les grappes presque mûres pendaient aux pampres; au vert atténué des chênes-lièges se mêlaient les premiers pourpres de l'automne. Sur cette route déserte, le passage de la voiture soulevait des volées de grives et de perdrix. Derrière nous, la masse du Canigou et la haute chaîne des Corbières s'élevaient dans un poudroiement de soleil qui les bordait d'un feston doré analogue au cadre qui sertit les retables dans nos églises de campagne.

Ce merveilleux spectacle lui indifférait. J'eus beau lui dire mon enchantement, il se contenta de grogner sans même tourner la tête. D'homme plus étranger à la nature, plus imperméable à ses beautés, je crois qu'il n'existe pas. Pour un peintre! me disais-je, interloquée, tout en m'en voulant de ce qu'il m'eût reproché comme une sottise. En revanche, pour les aspects concrets, rustiques de la campagne, pour la manière dont les gens organisent leur vie, pour leurs moyens de subsistance et leur système de production et de vente, il montrait un vif intérêt.

Échelonnés le long de la route, des étals qu'on démonte après l'été exposent des fruits et des légumes à l'intention des vacanciers. Il faisait arrêter la voiture pour discuter avec les paysans. Il voulait tout savoir de leur métier: À quelle heure se lèvent-ils? Ont-ils des employés pour faire la cueillette? Pendant combien d'heures, debout au bord du talus, attendent-ils les clients? Gagnent-ils suffisamment? D'une année à l'autre, le nombre des touristes est-il stable? Le prix des pêches, des prunes, des figues, est-il le même dans tout le département ? D'abord flattés, ils étaient mécontents de le voir repartir sans leur avoir rien acheté.

Inscrits en lettres rouges sur des poteaux indicateurs, les noms des mas isolés dans les champs excitèrent sa verve.

— « Les Agouillous ». « Les Trompettes basses ». « Les Trompettes hautes ». Quelle invention chez ces Catalans !

Il dit à Paulo de garer la voiture à l'entrée d'un village appelé, non moins bizarrement, Saint-Génis-des-Fontaines. Nous partîmes le visiter à pied. Il ne fut pas déçu : non que les maisons eussent un quelconque caractère, mais la grand-rue est bordée d'ateliers et d'échoppes. Toutes sortes d'artisans s'y affairaient, dans une rumeur continue de marteaux et d'enclumes. Un cordonnier cousait des espadrilles sur le seuil de son appentis. Il examina la manière dont l'homme s'y prenait et, constatant que le procédé était différent de celui employé en Espagne, il lui montra comment on faisait les nœuds à Malaga. À le voir manier le fil et l'aiguille et retrouver les gestes de son enfance, je me rendis compte à quel point son pays natal l'avait marqué. Il y restait attaché par la *physique* des gestes, justement. Un peu plus loin, il demanda au serrurier son marteau rivoir et sa lime pour ajuster lui-même deux morceaux de métal. Le sellier, originaire de Tarragone, qui avait fui l'Espagne de Franco, fut ravi de lui apprendre comment harnacher les mules de ce côté-ci de la frontière. Pablo tira sur la sangle et la fixa de la manière qu'on lui indiquait.

Au fond, pensai-je, c'est peut-être en cela qu'il diffère de tous les peintres : c'est d'abord un ouvrier. Les académies dont il a suivi vaguement les cours à Madrid, à Barcelone, ne lui ont rien appris, parce qu'il est d'abord un homme de la main, du geste. Il aurait pu être serrurier, plombier, charpentier. Les théories sur la peinture, les traités de peinture écrits depuis cinq siècles, les écoles de peinture diverses selon les pays, il n'en parle jamais. Les connaît-il seulement ? C'est un homme à se jeter sur l'objet, sans intermédiaire, pour en exprimer la substance. Cette faculté de s'oublier dans l'objet peint doit lui être de grand secours dans la crise qu'il traverse en ce moment : chez lui, pas ou peu de réflexion, de considérations annexes. Tel le menuisier tapant sur un clou, il manie son pinceau comme un outil, attentif à le faire tomber à l'endroit juste.

Je pensais que l'excursion s'arrêterait ici, à Saint-Génis, but avoué de notre expédition. Il ne perdait pas une occasion de nous vanter le bas-relief du XIe siècle qui orne la façade de l'église, au-dessus du portail. Il soulignait même qu'une des raisons qui l'avaient attaché autrefois à cette région était la présence de ce linteau. J'avoue que je ne le connaissais que par ouï-dire et n'avais pas cru nécessaire de m'en faire une opinion personnelle. Nous avons dans le département tant d'abbayes, de monastères, de prieurés, d'oratoires, classés monuments historiques, tant de vestiges d'architecture, de sculpture et de peinture romanes, un patrimoine si riche ! L'oncle Alphonse, recroquevillé sur le strapontin, se frottait les mains : il entrevoyait dans ses grandes lignes l'article qu'il enverrait aux *Cahiers d'art*, comme prémices et avant-goût de sa biographie. Le titre, qui assoirait sa réputation, était déjà trouvé : *Du Moyen Âge à la Modernité, Prolégomènes raisonnés à une généalogie de notre siècle.*

— Mais qui est ce saint Génis ? demanda Rosita, la seule du groupe un peu dévote, tandis que nous nous acheminions vers l'église par une rue latérale. Aucun calendrier ne le mentionne.

— Ah ! c'est là que commence le miracle ! Il y avait dans ce village, dès le temps de la colonisation romaine, une fontaine, chose si rare et précieuse dans ce pays aride, que les païens en attribuèrent l'existence à la libéralité d'un être surnaturel et invisible, divinité mystérieuse qu'ils appelèrent selon leur coutume : génie. Récupéré par les premiers chrétiens, le génie païen des fontaines fut canonisé sous le nom de saint Génis, n'est-ce pas extraordinaire ? La langue française est unique ! Elle réussit à se payer des calembours théologiques !

— Encore une de vos blagues ! dis-je, pour rassurer Rosita que je voyais contrariée de ce que ses plaisanteries n'épargnent même pas les choses saintes.

Ma première impression de l'église ne fut guère favorable. Quelle déception, après ce qu'il nous en avait dit ! La façade est une muraille nue, grise, de pierre brute, une maçonnerie quelconque, sans autre ornement que ce simple linteau. En comparaison des chapiteaux d'Elne ou de Serrabone, il me parut d'une extrême pauvreté. Le Christ, soutenu par deux anges symétriques, trône au centre, figé dans une attitude inexpressive ; de chaque côté, à sa droite et à sa gauche, trois personnages barbus se tiennent debout, tous pareils, raides et sans caractérisation. La pierre est sculptée avec tant de maladresse qu'à moins d'être spécialiste du Moyen Âge, il est difficile de s'intéresser à un rudiment de cet art à peine sorti des limbes et appelé justement « primitif ». Que trouvait-il donc de si exceptionnel à ces yeux uniformément écarquillés ? À ces figures gauchement esquissées, vues à plat, sans effet de perspective, alignées comme des poupées dans une vitrine ? Les linéaments de leurs visages sont taillés à gros traits rudimentaires. L'ignorance de l'anatomie se trahit dans les têtes, si peu proportionnées qu'elles équivalent à la moitié du corps ; dans les mains, aux doigts d'égale longueur ; dans les plis des vêtements, creusés de manière si fruste qu'il faut être archéologue pour leur reconnaître quelque mérite.

— Ce sont les apôtres, dit l'oncle Alphonse en nous indiquant du bout de sa canne les six barbus rigides, nichés sous les six arcades en forme d'alvéoles.

— Moi, dis-je, j'y vois des soldats au garde-à-vous, chacun dans sa guérite.

— Impossible que ce soient des apôtres, dit Rosita. Sinon, il y en aurait douze.

— Le linteau ne devant pas être plus large que la porte qu'il surmonte, la place a manqué, crut dire finement l'oncle Alphonse.

Pablo foudroya le sot du regard.

S'enferrant un peu plus, l'oncle Alphonse s'attira à nouveau sa colère en louant sans réserve *Le Musée imaginaire de la sculpture mondiale* qui venait de paraître.

— André Malraux aurait *adoré* cette œuvre ; ce génial agitateur de l'art universel l'eût rapprochée des bouddhas d'Afghanistan, des idoles de l'île de Pâques, de l'art nègre, des statues du portail royal de la cathédrale de Chartres, des mariés du douanier Rousseau, des dernières baigneuses de Cézanne. Il eût démontré que de siècle en siècle et d'un continent à l'autre, indépendamment de la différence des cultures et des climats, l'esprit des hommes, ivre d'un même enthousiasme divin, souffle d'un même élan créateur.

Il s'empressa de photographier le linteau pour illustrer son article. Les quelques mots que Pablo marmonna pendant ce temps ne semblaient pas tendres pour la « fatrasie » de Malraux, encensée par la presse unanime, mais qui n'était rien d'autre, selon lui, qu'une « grossière compilation d'ignorant », un « Himalaya de vanité satisfaite », la « risée des connaisseurs ». Devenue aussitôt, pour l'oncle Alphonse comme pour la plupart des critiques d'art français, une somme inégalée, une référence *incontournable*, c'était « la Bible des nigauds ».

— Observez la date, dit-il enfin, là, gravée sur le bandeau supérieur en chiffres romains : 1020. 1020, au tout début du siècle : vous comprenez ce que cela signifie ? C'est le plus ancien exemple de sculpture en Occident, bien antérieur aux chapiteaux romans et aux statues gothiques. Un village perdu entre la France et l'Espagne conserve le plus ancien témoignage de l'art des tailleurs de pierre ; prime éclosion, qui est en même temps une réussite insurpassable. On n'a jamais dépassé la pureté de ces lignes. Tout était dit, dès la première fois. C'est net, précis, incisif. *Essentiel. Élémentaire.* Le désir de compliquer, de varier, qui est venu ensuite, a gâché la sculpture. Diversifiée, embellie, perfectionnée, elle a perdu son innocence. C'est comme une horloge ; dès qu'on la manipule elle cesse de marcher.

Je compris mieux ce qu'il voulait dire après qu'il eut ouvert son cahier de croquis et commencé un dessin de ce linteau. Doué de cette faculté extraordinaire de saisir, à travers les détails ornementaux, la structure d'une œuvre, il transforma le Christ, les anges et les apôtres en échantillons de cubisme : avec très peu de changements, se contentant de remplacer les courbes par des arêtes, les arcs en plein cintre par des ogives, les ronds par des carrés. Le tout, en dix minutes, devint pointu et anguleux.

— Regardez plus attentivement, nous dit-il sans interrompre son travail, les mains des anges et les plumes de leurs ailes. Mains et plumes sont posées à plat, indiquées par des lignes parallèles. Je me suis souvenu, pour une main et une joue des *Demoiselles d'Avignon*, de ce parti pris *antiphysique*. Les cheveux, les poils des barbes, les doigts de pied du Christ sont divisés en sillons égaux, les yeux tout ronds, sans paupières. C'est l'organe de la vue dans son état d'origine ! Les genoux du Christ ressemblent à deux globes oculaires. Je n'ai pas été le premier à mettre les yeux loin du nez et à croire possibles deux fois deux yeux ! Les anges aussi en ont quatre, deux dans les orbites et deux à la place des rotules. Les corrections, les ajustements par lesquels les sculpteurs et les peintres des siècles postérieurs ont cru devoir, sous prétexte d'humaniser les personnages et de les conformer aux lois de l'anatomie, améliorer cette pureté *élémentaire* (il insista de nouveau sur ce mot), tous ces amendements, aménagements et enjolivements attestent seulement leur conformisme et manque de pénétration. Ils se sont promenés à la surface du monde, au lieu d'en atteindre le noyau, l'os, la structure schématique. Ils ont *appris* au lieu de regarder. Ce qu'il y a de plus admirable dans ce linteau, c'est *l'ingénuité primordiale*, une ingénuité qui ignore *ce qu'on sait* du corps.

« Tout le reste, conclut-il en riant aux éclats comme pour nous mettre dans le doute qu'il eût parlé sérieusement, tout le reste est importation de l'Italie, tout le reste est *italianisme* : *italiennes*, les recherches de mouvement, de naturel, d'exactitude, de nuances, de détails ; *italiens*, le goût et l'art des états intermédiaires, des passages, des ombres. Fanfreluches ! Fioritures ! *Fioriture !* comme ils disent eux-mêmes, tout fiers et contents, car ils préfèrent les fleurs à la tige, et la tige aux racines.

Trop échaudé déjà, l'oncle Alphonse n'osa demander ce qu'il entendait par ces mots d'*italianisme* et d'*italiens*, qui restèrent mystérieux pour chacun de nous. Nous n'étions pas au bout de nos surprises.

— À Collioure ! ordonna-t-il à Paulo, au moment où celui-ci s'apprêtait à reprendre la route de Perpignan.

18

Portbou

À Collioure ? Un pèlerinage sur les lieux de sa jeunesse ? Mais il n'avait jamais aimé Collioure, laissé aux « amateurs de panoramas », les Matisse, les Derain, les Marquet, « ceux qui regardent par la fenêtre ». Sans un coup d'œil pour le port, il s'enfonça dans une ruelle jusqu'à la boutique d'un coiffeur, d'où il ressortit au bout d'un quart d'heure, métamorphosé : perruque noire jusqu'aux oreilles, bistre autour des yeux, moustache à la Léon Blum. Dans un magasin d'articles de pêche, il s'acheta une vareuse de marin. Encore une plaisanterie, me dis-je, mais dans quel but ? Il m'entraîna ensuite jusqu'à une épicerie.

— Si on achetait pour Maria un pot de ces anchois à l'huile dont elle raffole ?

Il me laissa payer le cadeau qu'il offrirait à la bonne. Nous remontâmes en voiture. Assis à droite de Paulo, il lui ordonna de continuer vers l'Espagne. Je pensais qu'il nous arrêterait à Port-Vendres, pour la criée, ou à Banyuls, pour le banyuls. Ce n'est qu'à Cerbère, dernier village français avant la frontière, que prit fin le voyage. Nous abandonnâmes la voiture devant la gare et partîmes à pied en direction de la montagne. Totote commençait à comprendre. Comme elle avait l'Espagne franquiste en exécration et qu'on l'aurait d'ailleurs tout de suite arrêtée, elle rebroussa chemin et nous dit que, n'étant pas déguisée, elle attendrait dans la voiture avec Rosita.

Nous avions tous notre passeport en règle, sauf lui, bien entendu. Aussi nous faisait-il franchir clandestinement la frontière par le sentier dit Lister, du nom de ce commandant qui avait réussi à emmener en France et mettre en lieu sûr, à la fin de la guerre civile, une brigade de combattants républicains.

Rude montée, au milieu des éboulis et des gorges. Le soleil tapait dur, sur la piste en pente raide. Chaussée de sandales à lanières, j'avais les pieds écorchés par les cailloux. Des rafales de vent soulevaient une poussière blanche. L'oncle Alphonse se baissait et passait son mouchoir sur ses souliers vernis. Je suggérai de faire une halte. Pablo s'emporta.

— Et pour cet homme, vous croyez que c'était facile ? Vieux et malade, il portait une valise de dix kilos et une lourde serviette de cuir qui rendaient l'ascension encore plus pénible.

De qui nous parlait-il ? Une émotion insolite faisait trembler sa voix. Devant notre perplexité, il se radoucit, et consentit à s'asseoir sous un arbre pour nous conter l'histoire de celui qui avait cru trouver le salut en Espagne. Il nous entretint longuement de cet homme, bien plus ému de son extraordinaire et fatale aventure, me sembla-t-il, que de la mort de Staline, le soir où Aragon l'avait appelé au téléphone.

L'écrivain et philosophe qui avait mis son dernier espoir dans l'Espagne était un Juif allemand – un de ces grands intellectuels d'Europe centrale comme Freud, Zweig, Schönberg ou Kokoschka, de ceux qui ne pouvaient que susciter la haine des nazis. Plus qu'un écrivain et un philosophe, c'était une sorte de guide spirituel au milieu des ténèbres, « une flamme dans un monde qui s'éteint ». (Je n'avais jamais vu Pablo aussi lyrique.) Il avait fui Berlin pour Paris en 1933, gagné le midi de la France au moment de la débâcle de juin 40, obtenu à Marseille, du consulat américain, un visa pour les États-Unis. Il lui manquait le laissez-passer des autorités françaises, indispensable pour quitter le territoire national, mais impossible à obtenir sans avouer qu'il était apatride. Emprisonné, il serait livré à la Gestapo. Une seule solution : gagner clandestinement l'Espagne, puis traverser l'Espagne et le Portugal pour embarquer à Lisbonne. Les autorités espagnoles, lui avait-on assuré, fermaient un œil sur ces exilés.

Perclus de douleurs dans les membres et dans le dos, traînant la jambe derrière le passeur trouvé à Cerbère qui lui avait soutiré la moitié de son pécule, il arriva, par ce sentier de montagne, encore plus éprouvant dans les fondrières de la descente, à Portbou, premier village en territoire espagnol. Exténué, à bout de forces, il descendit à l'hôtel França, dîna au restaurant Portbou et apprit en lisant le journal que le jour même, sous la pression des Allemands, la loi espagnole avait changé : ceux qui étaient arrivés illégalement en Espagne devaient être reconduits en France. Brisé, convaincu qu'il n'avait d'autre choix que d'en finir, « ici, dans un petit village des Pyrénées où nul ne sait que ma vie s'achève », comme il l'écrivit dans une lettre d'adieu, il regagna sa chambre, s'étendit sur le lit, avala les comprimés de morphine qu'il avait toujours sur lui pour soigner une sciatique chronique, éteignit la lampe et mourut après une nuit d'agonie.

Le but de notre expédition ? Trouver sa tombe et y apposer l'écriteau préparé par Pablo. Il l'avait rangé dans sa sacoche à côté de son cahier de croquis et d'une torche électrique.

— Regardez.

Il sortit de la sacoche l'écriteau percé d'un trou, puis le fil de fer pour l'accrocher. Sur la planche de bois étaient peints de sa main, en belles lettres moulées, rouges et noires, le prénom et le nom de ce philosophe allemand inconnu de moi.

WALTER BENJAMIN

— Un martyr, à ranger dans la liste des victimes de la barbarie fasciste, à côté du poète Federico García Lorca, dis-je, fière d'avoir posé l'accent sur le *í*.

Pablo me regarda d'un air sévère.

— Mais lui – il nous indiquait le nom tracé sur l'écriteau –, lui – cette leçon de morale me sidéra – était un homme véritable, pas une de ces lopes qui traînent dans les bars de nuit.

Nous arrivâmes à Portbou sans avoir été inquiétés. Son premier soin fut de repérer l'hôtel où Walter Benjamin s'était donné la mort, un très modeste établissement, situé en bas de la pente qui mène à la gare, laquelle, au lieu de se trouver en bordure de mer, est curieusement surélevée. Hôtel França : ce n'était même pas un hôtel, mais une *fonda*, auberge de dernière catégorie. L'hôtelier, douze ou quinze ans après les faits, ne gardait qu'un souvenir vague d'un grand remue-ménage dans la chambre 3 ou 4 envahie par la police qui avait emporté, recouvert d'un drap, un cadavre dont il ignorait l'identité, ce voyageur étant arrivé trop tard pour être régulièrement inscrit. Les formalités d'accueil avaient été remises au lendemain. Il parlait mal l'espagnol, avec un fort accent étranger – ce qui ne l'avait pas étonné, dans cette zone frontalière. D'où venait-il ? Par quel moyen était-il arrivé ? Il y avait longtemps que l'heure du dernier train était passée. Il se rappelait seulement que cette chambre, une des moins chères, donnait non pas sur la mer, comme les touristes en font habituellement la demande, mais sur l'arrière, par une fenêtre ouvrant sur les bacs à ordures. La physionomie de cet homme ? Il ne se souvenait pas qu'il eût une physionomie sortant du quelconque, à part des yeux de myope qui clignaient derrière des lunettes rondes à tiges d'acier, d'un modèle vieillot. La valise noire l'avait intrigué, ça oui, une grosse et pesante valise, insolite pour un hôte de passage et une constitution aussi chétive. Il trimbalait aussi une lourde serviette de cuir, fermée à clef, qu'il ouvrit pour payer la chambre à l'avance.

— Dame ! on peut remettre au lendemain le relevé de son identité, mais on a le droit de douter qu'un vagabond soit solvable !

Lorsqu'il avait fouillé dans sa serviette pour en tirer son portefeuille, il s'y était pris si maladroitement que, de la masse de papiers qu'elle contenait, des dizaines s'étaient échappés et étaient tombés par terre. Apparemment, la serviette ne contenait rien d'autre que ces papiers.

— J'ai voulu l'aider à ramasser les feuilles éparpillées devant le comptoir. Je m'aperçus que c'étaient des pages d'écriture, dans une langue étrangère. Il m'écarta d'un geste brusque et s'empressa de les ramasser lui-même. Ses doigts tremblaient d'une agitation fébrile. Puis il me demanda par signes un élastique. La liasse était si volumineuse que le premier élastique cassa. Il semblait attacher beaucoup d'importance à ces pages que, le lendemain, après le départ de la police, mon fils alla jeter avec la valise et le reste de ses affaires dans la décharge publique. Je n'ai jamais réussi à me faire rembourser le drap que m'avait emprunté la police.

De l'hôtel, nous gagnâmes le cimetière par une rue en pente à l'extrémité du village. Étagé en paliers comme un jardin, le cimetière surplombe la mer. Reliés par un escalier central, ces paliers, étroits et longs, reposent sur des murs percés de plusieurs étages de niches. Des cyprès, des marronniers, des chênes, des acacias poussent au milieu du gravier des allées. Faute de place, les tombes ne sont pas posées par terre comme dans les cimetières français, mais logées dans ces niches, signalées chacune par le nom et les dates du mort gravées très lisiblement sur un carré de marbre. L'oncle Alphonse me dit tout bas, car il sentait l'inconvenance d'une telle comparaison, que ces niches superposées lui faisaient penser à des boîtes empilées dans un magasin de chaussures. Je lui dis de se taire, et me mis à la recherche du nom de Benjamin.

En vain parcourûmes-nous les quatre paliers. La vue, entre les arbres, donne sur la côte et sur les montagnes qui tombent à pic dans la mer. Les couleurs estompées du soir rehaussaient la beauté du spectacle, mais Pablo ne jeta pas un coup d'œil au panorama.

Interrogé, le gardien secoua la tête.

— Benjamin ? *Desconocido.*

Aucune tombe à ce nom. Pablo envoya son fils à la mairie consulter les registres d'état civil. Paulo revint bredouille. Aucun mort du nom de Benjamin n'était inscrit sur les listes de décès. Malgré le risque de se faire reconnaître sous la perruque et la fausse moustache, Pablo décida d'aller lui-même à la mairie.

— J'ai une idée, nous dit-il, les Espagnols connaissent le nom de Benjamin, sous la forme de Beniamino, mais

Beniamino pour eux c'est un prénom. Ils se seront embrouillés dans le classement alphabétique.

Il revint, à la fois content d'avoir deviné juste et navré de ce qu'on lui avait dit. Les Espagnols avaient classé le mort à la lettre W, prenant Walter pour le patronyme d'un Allemand bizarrement prénommé Benjamin. Ce Walter était bien mort à Portbou. Mais à la question : où se trouve sa tombe ? Sur quel palier du cimetière ? l'employé avait haussé les épaules. Sa tombe ? Il aurait fallu quelqu'un pour la payer et l'entretenir. Un don anonyme avait été envoyé, mais pour une concession de seulement cinq ans. Au bout de cinq ans, le dénommé Walter, prénom Benjamin, décédé sans famille, avait été jeté à la fosse commune.

Au fond de la deuxième terrasse, à droite, contre la murette de clôture passée à la chaux blanche, nous avisâmes un rocher encadré de quatre beaux lauriers-roses à fleurs roses et blanches. Pablo décida de faire de ce rocher un monument à la mémoire de Walter Benjamin. À mains nues, sans craindre de s'écorcher les doigts, il nettoya la pierre des herbes et des fragments de terre qui s'y étaient incrustés, puis, à l'aide d'un caillou pointu, donna forme à ce qui pouvait ressembler à une stèle. Il posa dessus l'écriteau, qu'il attacha avec le fil de fer.

— J'aurais dû apporter des fleurs, dis-je.

— Des fleurs ? Croyez-vous que quelque chose d'aussi périssable et frivole que des fleurs puisse racheter les crimes de Hitler et de Franco ?

Il se baissa, ramassa des graviers et les fourra dans les anfractuosités du rocher. Je fis de même. Paulo me relaya. Paul et l'oncle Alphonse nous imitèrent. Chacun ajouta un caillou au hasard et se recueillit en silence. Cette offrande, exclusivement minérale, s'accordait à ce que j'avais cru comprendre du mort ; nul autre don qu'une sèche libation n'eût convenu à ce pur esprit. Des cailloux sur une stèle, des pierres sur une pierre : accumulation anguleuse, pouvant seule immortaliser son sacrifice.

Derrière les quatre lauriers-roses, le dernier contrefort des Albères barrait d'une ligne noire l'horizon assombri. Des mouettes, en larges cercles, tournoyaient dans le crépuscule. Leurs cris plaintifs et dissonants s'harmonisaient à ce double meurtre : un homme assassiné, son manuscrit jeté aux ordures.

Un bref incident gâcha la cérémonie. L'oncle Alphonse voulut prendre en photographie notre groupe devant la stèle funéraire. Au moment où il nous disposait en rang, Pablo lui arracha l'appareil des mains et le jeta par terre. Je ne pense pas que la prudence politique ait seule justifié ce geste.

19

L'Italie

Italianisme… Italiens… Pourquoi, lorsque ces deux mots lui avaient échappé, les avait-il prononcés avec un tel dédain ? Que connaît-il de l'Italie ? A-t-il des amis italiens ? Je me posais ces questions depuis notre visite à Saint-Génis-des-Fontaines. Il n'est allé qu'une fois en Italie, une seule, il y a très longtemps, m'assure l'oncle Alphonse. À l'automne 1917, et non par curiosité ou amour de l'Italie, mais par nécessité professionnelle. Devant mettre au point les décors et les costumes que lui avait commandés Diaghilev pour le ballet *Parade*, il avait rendez-vous à Rome avec les trois auteurs du spectacle, Cocteau qui avait écrit le livret, Massine qui se chargerait de la chorégraphie et Diaghilev lui-même. Présenté à Olga Kokhlova, qui dansait dans la troupe des Ballets russes, il tomba si éperdument amoureux de la jeune femme qu'il en perdit la tête. La tornade de cette nouvelle liaison balaya le peu d'intérêt qu'il portait à l'Italie. Ce pays ne le toucha guère, pas plus les gens, les coutumes, les villes, les paysages, que les œuvres d'art et les musées. Il ne fit qu'une brève excursion à Naples, parce que Olga dansait au San Carlo dans *L'Après-midi d'un faune.* Un rôle modeste, bien qu'il la présentât ensuite à Paris comme une « danseuse étoile ».

« *Stella un corno* », selon Diaghilev.

Pieds nus, en tunique transparente, elle faisait une des nymphes. Ce voile diaphane le rendit fou. De Naples, il se rendit à Pompéi, où il paya le gardien pour avoir accès aux peintures interdites. À Rome, il n'alla voir, semble-t-il, ni la chapelle Sixtine ni les Chambres de Raphaël.

Il ne possède aucun album sur les maîtres de la peinture italienne ni aucun catalogue de musée italien. Cas unique dans l'histoire des grands peintres, il n'a subi aucune influence du pays de Giotto, de Michel-Ange, de Titien. Les quelques tableaux qu'il a pu voir de Raphaël n'ont fait que renforcer son aversion de la *ligne élégante* et de la *perfection classique.* Ce voyage, initiatique pour tant de peintres étrangers, ce « Grand Tour » par Milan, Venise, Bologne et Florence ne l'a jamais tenté. Poussin, Vélasquez, Ingres, Manet, Corot, ceux qu'il admire, lui avaient pourtant montré l'exemple ! Comment peut-on rester aussi indifférent à la *patrie des arts*, comme le critique du *Figaro* qualifiait récemment l'Italie ? J'étais non seulement surprise mais choquée de le voir traiter avec autant de désinvolture et sans le connaître un pays que j'adore.

Aussi, pour tirer au clair cette affaire, lui ai-je demandé, prenant prétexte d'un roman de Moravia que j'étais en train de lire, ce qui l'avait le plus frappé à Rome, au cours du séjour qu'il y avait passé. La question n'était sans doute pas très adroite, car elle réveilla en lui le souvenir moins de Rome que d'Olga, laquelle continuait à le poursuivre et à le harceler bien qu'ils fussent séparés depuis presque vingt ans.

— Mon souvenir le plus marquant de Rome ? Ce fut ma première scène avec Olga, suivie de la première réconciliation. Une semaine après que je l'eus rejointe, elle quitta l'appartement où Diaghilev avait logé sa troupe et vint habiter avec moi à l'hôtel. Elle était encore au lit quand le groom apporta le petit déjeuner. Comme tous les Russes, elle ne mettait pas le sucre dans la tasse de thé, mais plaçait un morceau sur sa langue, avant d'avaler la gorgée. Les Russes sucrent leur thé directement dans la bouche. Or, en Italie, il n'y a pas de sucre en morceaux, il n'y a que du sucre en poudre ou cristallisé. Elle appela le maître d'hôtel, l'apostropha avec une violence inouïe, jeta sa tasse par terre, renversa la théière sur le tapis, tapa des pieds, eut une crise de nerfs, et moi un accès de colère contre elle parce qu'elle se laissait démolir pour un enfantillage. Voilà pour la scène.

« Puis, j'ai commencé à réfléchir. Olga se montrait excessivement nerveuse depuis les événements de Russie. Une seconde révolution avait éclaté. La guerre civile faisait rage, les morts se comptaient par centaines de milliers. Son père et ses frères, officiers dans l'armée impériale, combattaient du côté des Blancs. Les informations arrivant à peine, elle n'obtenait de leurs nouvelles qu'au compte-gouttes. En Sibérie et dans le sud de l'Ukraine, les Blancs se heurtaient à des détachements de l'Armée rouge mieux équipés et plus aguerris. Elle n'apprit la mort de son père qu'avec un retard de plusieurs mois. Nous étions rentrés à Paris et mariés, quand elle reçut d'un de ses frères, réfugié en Serbie, la triste nouvelle. Il avait été tué à Blagovechtchensk, sur les bords du fleuve Amour. Ne pouvais-je pas, me demanda-t-elle, user de mes relations politiques pour faire venir en France sa mère, réfugiée à Tbilissi, seule, sans ressources, en mauvaise santé ? Je lui dis que mes opinions m'avaient classé *persona non grata* dans les sphères du pouvoir.

— Ce n'était qu'un prétexte ?

— Oui, je n'étais pas communiste à cette époque. Mais je n'avais aucune envie de remettre en question l'équilibre de ma vie privée, péniblement acquis, si nécessaire à mon travail, par l'intrusion d'une personne qui aurait bousculé mes habitudes.

— Mais la mère de votre femme ? m'exclamai-je.

— Un créateur n'a pas à s'encombrer d'une belle-mère. Olga était d'un caractère déjà assez difficile. Revenons à ce séjour romain. Pour excuser son algarade avec le maître d'hôtel, je me dis que sa crise d'hystérie au sujet du sucre et son besoin de se conformer à une pratique typiquement russe n'étaient que le contrecoup de son inquiétude pour le sort de sa famille. En restant fidèle à cette habitude alimentaire, elle affirmait sa solidarité avec son pays et avec les siens.

« Mais cette réflexion ne m'expliquait pas le mystère du sucre en poudre. Pourquoi les Italiens ne fabriquent-ils pas de sucre en morceaux ? Par ignorance ? Par refus ? N'ont-ils pas d'usines pour transformer la betterave ? L'ignorance était peu probable, de la part d'un peuple qui a tout inventé.

« Je n'arrivais pas à trouver la réponse, quand un hasard vint à mon secours. C'était par une tiède soirée de décembre, une de ces soirées de Rome si clémentes qu'on ne se croirait pas en plein hiver mais dans le prolongement de l'automne. J'avais échoué avec Olga dans un restaurant du Trastevere. Les tables occupaient une tonnelle sur une place carrée, close sur elle-même, une de ces places théâtrales d'où les rues s'échappent par des coulisses presque invisibles. L'eau vive d'une fontaine, dans cet espace fermé, me donna l'illusion d'un patio andalou. Le reste du temps, nous dînions à l'hôtel de Russie, via del Babuino, où Diaghilev commandait une cuisine européenne, surtout russe. Mais la douceur de cette soirée nous avait donné envie de nous isoler de la troupe pour flâner le long du Tibre. Un vieux pont en dos-d'âne nous avait amenés sur l'autre rive.

« Ce restaurant, au-delà du fleuve, dans un quartier populaire, était typiquement italien, et les familles attablées, typiquement italiennes. Que mangeaient ces typiques Italiens ? Une énorme assiette de spaghetti, qui composait l'essentiel de leur repas. L'assiette était creuse, la masse des spaghetti enroulée en pelote, l'agglomérat des anneaux imprégné de sauce tomate. À les voir tourner autour de leur fourchette puis engloutir ces rouleaux mous de pâtes déjà molles et ramollies encore par la sauce, il m'a semblé lire à livre ouvert dans la mentalité de ce peuple. Le sucre en poudre et les spaghetti imbibés relèvent du même fonctionnement mental. Ils refusent ce qui demande le minimum d'effort. Mordre dans un morceau de sucre leur est aussi pénible que de mâcher de la viande. Les spaghetti n'opposent aucune résistance sous la dent. À peine s'il faut remuer les mâchoires pour les sentir fondre dans la bouche et se dissoudre en une sorte de pâtée spongieuse, souvenir des bouillies enfantines. Ils auraient pu choisir d'autres formes de pâtes, la coquillette, les ravioli, les macaroni, les tortellini, les tuyaux d'orgue, mais leur préférence va de loin à celle qui non seulement est la plus molle mais par ses longs filaments circulaires les roule plus mollement dans ses volutes. Ils ne les coupent jamais, ce qui serait plus facile à manger, mais nécessiterait l'usage d'un couteau et supposerait que l'idée de segmenter, de trancher ne leur est pas antipathique. Leur plaisir, c'est de confectionner à force de circonvolutions autour de leur fourchette des bouchées enroulées sur elles-mêmes, le plus rondes, serpentines et ramollies possible. Avec quelle volupté humide avalent-ils ces bouchées et se pelotonnent-ils dans leurs spirales !

«— Cherche un point central dans cette nourriture, dis-je à Olga, tu ne le trouveras pas. Il n'y a pas de centre dur dans une platée de spaghetti, tout y est mou, sinueux et enveloppant.

« Olga battit des mains et s'écria :

«— Tu m'as dit la même chose des impressionnistes, toujours à peindre les méandres de la Seine, sans atteindre au noyau dur de la peinture.

«— Oui, Olga, c'était l'école spaghetti !

« Et de nous tordre de rire en comparant les tableaux de Renoir à des plats de nouilles. Voilà pour la première réconciliation.

— Vous ne parlez pas sérieusement, je pense ? Vous ne jugez pas les Italiens seulement sur leur cuisine ? Je suis allée en Inde, où la cuisine est abominable, vraiment indigeste et désastreuse pour l'estomac, à la fois graisseuse, piquante, exagérément pimentée. Nous étions malades une fois sur deux. Paul a passé une nuit à l'hôpital. Cela ne nous a pas empêchés de trouver l'Inde un pays passionnant.

— Chère Aimée, leur lâcheté alimentaire ne serait rien en effet, si elle n'était pas le miroir d'un vice de caractère autrement grave et, pour moi, rédhibitoire. Considérez un peu les principaux événements de leur histoire. Le Piganiol et le Zeller, que j'ai trouvés dans votre bibliothèque et feuilletés la semaine où il a tellement plu, m'en ont appris de belles ! Le courage politique leur a toujours manqué. Ils n'assassinent jamais en face, mais sournoisement, à la suite d'un complot ou dans des embuscades. Leurs prétendus exploits ne sont que des faits divers sordides. Brutus était un traître, Lorenzaccio un fourbe. Il a tué Alexandre de Médicis dans son sommeil. À Florence encore, Francesco Pazzi, chef d'une conspiration contre les Médicis, avait choisi la cathédrale et une messe solennelle pour exécuter l'attentat. Afin de tuer Julien sans risque, il commença par le caresser en lui murmurant de doux noms d'amitié, puis, après avoir endormi sa méfiance, le poignarda *hardiment*, disent les historiens italiens du complot. Son frère, Laurent le Magnifique, qui aurait dû être l'autre victime, n'eut qu'à tirer son épée pour mettre en fuite les agresseurs.

« Dans les temps modernes, la même couardise a distingué les Italiens. Ils n'ont opposé aucune résistance à Napoléon, qui a occupé en se promenant les divers États de la péninsule et installé tranquillement sur les trônes de Naples et de Toscane des membres de sa famille. Napolitains et Toscans ont fait aussitôt leur cour à ces souverains d'opérette. Un trait de plume a suffi à Napoléon pour supprimer la République de Venise. Le seul pays, avant la Russie, qui lui ait opposé une résistance a été l'Espagne. Cent mille paysans ont pris les armes contre lui ; il a connu en Espagne ses premiers revers. La capitulation d'une de ses armées a marqué le commencement de son déclin. C'était en Andalousie, au nord de Malaga, à Bailén, où mon père m'emmenait chaque année pour déposer, le 22 juillet, date anniversaire de la bataille, une couronne d'épis de blé au pied du monument élevé au vainqueur des Français, le général Castaños. La chaleur était épouvantable, je me rappelle que mon père m'obligeait à rester tête nue pendant la minute de silence que nous devions observer en l'honneur de ce général. L'empire français affaibli par cette défaite ne s'est jamais remis de notre victoire.

« Dans notre siècle, les Italiens ont-ils été plus brillants ? Ils se sont couchés devant Mussolini, qui s'est emparé du pouvoir *sans coup férir*, comme vous dites justement. Il est arrivé en wagon-lit à Rome et a dit : *C'est moi le chef*, sur quoi le pays s'est prosterné jusqu'à terre. Il y a bien eu quelques résistances, mais sporadiques, individuelles, inefficaces ; un très petit nombre d'hommes courageux y ont laissé leur vie. Les masses ont acclamé le Duce. Chacune de ses apparitions publiques soulevait l'enthousiasme. Il suffisait qu'il se montre au balcon et envoie de son bras tendu un salut théâtral, pour avoir une foule exultante à ses pieds. En Espagne, c'est tout un peuple qui s'est dressé lorsque Franco a voulu l'asservir. La guerre civile a duré trois ans et fait quatre cent mille morts. Sous-équipés, sous-alimentés, sans expérience militaire, les Républicains se sont battus pied à pied, quartier par quartier, rue par rue, maison par maison. Barcelone n'a cédé qu'après un siège de trente-cinq jours. Franco ne serait jamais venu à bout de l'héroïsme du peuple espagnol sans l'aide des légions italiennes et des avions allemands.

— Je sais, murmurai-je. Guernica...

— J'appartiens à un peuple d'insoumis, prêts à mourir pour rester libres. Comment voulez-vous que j'aie la moindre estime pour des lavettes, qui obéissent au premier claquement de doigts ?

J'allais lui dire que les Français n'avaient pas fait montre de plus de caractère devant le maréchal Pétain, lorsque Paulo et l'oncle Alphonse entrèrent pour nous confirmer que les douze taureaux attendus étaient arrivés d'Andalousie à Céret. La corrida aurait lieu, comme chaque année, autour du 14 juillet. Il tira de cette annonce un nouvel argument contre les Italiens.

— Imaginez-vous une corrida en Italie ? Ce serait absolument impossible. Ils n'ont pas le cœur à soutenir la vue du sang et de la mort. Il n'y a eu dans toute l'histoire qu'une seule corrida en Italie, organisée à Naples par les Espagnols de Charles Quint : en dehors des courtisans de l'empereur et des flatteurs qui en espéraient des prébendes, personne n'y assista, les gradins étaient vides. Quand les Italiens se réunissent, c'est pour entendre chanter.

« On peut comparer, si l'on veut, une salle d'opéra et une arène de taureaux. Le lieu est circulaire, la foule regroupée et serrée autour du spectacle, la ferveur communicative, les gens prêts à s'exalter. On guette les erreurs, on applaudit aux exploits, on siffle les fautes, le public vibre à l'unisson. La note aiguë qui conclut le grand air correspond à l'estocade.

« Néanmoins, quoi de plus opposé dans les manières de sentir ? Que peuvent avoir de commun un duo entre deux amoureux et un duel entre l'homme et un monstre de 600 kilos ? Les amoureux ne courent aucun danger, ils roucoulent à l'aise, prodiguent les *ornements*, le mot *enjolivures* indique bien ce qu'il y a d'inoffensif et de gratuit dans leur posture. *Enjolivures* ! Des notes possibles entre mille autres, jetées en l'air sans nécessité ! Elles pourraient ne pas être, ou se trouver remplacées par d'autres tout aussi frivoles. Comme c'est gentil et anodin, alors que le taureau et le torero se cherchent au point sensible et s'affrontent à mort, dans un combat sans merci, selon un rituel précis, rapide, inexorable, qui exclut toute échappatoire ou faux-fuyant. L'un des deux sera tué. Le moindre écart est fatal. Le public espagnol n'aime pas les variations que certains toreros se permettent pour s'attirer les applaudissements des touristes étrangers, comme de se mettre à genoux devant le taureau ou d'agiter la cape avec des simagrées. Tout doit être net, direct, sévère, parce que les deux adversaires, inflexibles, se défient jusqu'à la victoire du plus fort et la suppression du vaincu.

— Vous croyez qu'on peut juger un peuple d'après le divertissement qu'il préfère ?

— L'opéra est un plaisir de gens efféminés, la corrida le besoin d'un peuple viril. Quand le ténor se poignarde avec une arme en carton puis se relève pour recevoir les ovations, le torero risque sa vie à chaque instant de chaque course. Il est faux de soutenir que la partie est inégale, que l'homme court peu de risques, que tout est joué par avance. Pedro Moreno m'a montré ses blessures, il a été encorné plus de dix fois, aux cuisses et au ventre. Ses camarades qui n'ont pas été tués portent tous, plus ou moins profonde, quelque affreuse cicatrice.

— Je vais envoyer l'oncle Alphonse et Paulo nous retenir des places pour la corrida de Céret.

— *A la sombra*, bien entendu. Pour ma part, sincèrement, je préférerais le soleil, mais vous n'avez pas été habituée, chère Aimée, à rôtir comme moi dès l'enfance devant le monument de ce général Castaños !

20

Une visite

Le courrier lui apporta une lettre qui l'intrigua. Un historien de l'art italien, de passage dans la région, sollicitait une entrevue. Qui ça peut être ? grommela-t-il, toujours sur le qui-vive lorsqu'on cherchait à le déranger dans son travail. L'oncle Alphonse se rendit pour une fois utile. Mais c'est un grand personnage ! lui expliqua-t-il. Un des rares historiens de l'art italiens qui au lieu de se cantonner dans les musées s'intéresse à la peinture contemporaine.

— Dans un de ses livres, il a exposé les principes du cubisme et parlé de vous avec sympathie, ainsi que de Braque et de Chagall. (Il omit de mentionner Matisse.) Une des phrases de ce livre devrait particulièrement vous toucher. Il affirme que les peintres, à l'apogée de la Renaissance, cherchaient la beauté idéale non pas dans la reproduction d'êtres vivants, mais uniquement dans la création de figures abstraites. Ils se référaient à Aristote, qui avait établi à leur intention, croyaient-ils, l'origine mathématique du beau. Un objet, un visage, pour être beau, devait se rapprocher le plus possible de la régularité des formes géométriques.

— Intéressant... Intéressant... Mais faux... Archifaux... Aucun des peintres de cette époque n'a suivi ce précepte. Dans les courbes molles d'un visage de Raphaël, où se trouve la forme géométrique ? Je vous défie de déceler un seul angle aigu dans un tableau italien, une seule entorse à *l'harmonie linéaire*. Leurs nez palpitent, ce sont des narines, ce ne sont pas de solides polyèdres en quart de brie. Ils auraient beaucoup à faire, ces nez, pour passer de ce statut anecdotique à *l'idée* d'un nez, but ultime de la peinture de portrait.

— Recevez-le, et vous pourrez discuter de cette question.

— Jamais de la vie ! C'est un Italien ! Un rital ! Il aura été fasciste ! Il se sera couché comme les autres devant Mussolini !

— Pas du tout. Lorsque Mussolini a exigé des professeurs un serment d'allégeance, il a été un des seuls à refuser. Obligé de quitter l'enseignement, il s'est exilé aux États-Unis. Réintégré après la chute du fascisme, il occupe depuis 1945 la chaire d'histoire de l'art à la faculté des lettres de Rome.

Lionello Venturi fut donc invité à déjeuner. C'était un vendredi, jour traditionnel d'un plat très épicé, l'omelette catalane, relevée par de la poudre de piment rouge et du chorizo en dés. Prévenu contre l'invité malgré les garanties fournies par l'oncle Alphonse,

Pablo ne put s'empêcher de le brocarder par un mauvais calembour. Il convoqua Maria.

— Maria, c'est le jour de l'omelette ?

— Oui, monsieur Pablo. Souhaitez-vous un autre menu ?

— Surtout pas. Ne changez que le nom du plat. Aujourd'hui, en l'honneur de notre hôte italien, vous nous servirez une *femmelette*.

Lionello Venturi arriva vers midi. C'était un homme de soixante-dix ans environ, de haute stature, distingué, front dégarni, cheveux ondulés, barbiche poivre et sel, tête noble à la Vittorio De Sica. Courtois, cérémonieux à l'ancienne, tenant du hobereau de campagne et du majordome de grande maison, il me baisa la main et demanda la permission de poser son chapeau sur une chaise de l'entrée. En costume trois pièces, mouchoir de batiste dans la pochette de son veston, montre en or dans son gousset, il ne sourcilla pas en voyant comment Pablo s'était nippé. (Je suis persuadée qu'il avait choisi exprès ses frusques les plus miteuses.) Le short n'avait plus de forme, une lanière décousue traînait derrière une de ses sandales, sa blouse élimée dont les lavages n'avaient pas réussi à effacer les taches de peinture béait sur son torse hérissé de poils blancs.

— Maître, dit le visiteur dans un français châtié, c'est pour moi une insigne faveur, un privilège inestimable, un trésor sans prix, *præcipuus honor*, de rencontrer celui en qui *l'Alma Mater*, par l'entremise de mon humble personne, reconnaît le chef de file de…

— Ta, ta, ta, ta… Je m'étonne que vous vous intéressiez à mon travail.

— Mais pourquoi donc ? Au contraire…

— Parce que vous venez d'un pays dont je déteste les peintres.

Venturi ne se laissa pas démonter. Sa pomme d'Adam monta et descendit le long de son cou osseux. Ce fut le seul signe de son ahurissement.

— On vous aime beaucoup en Italie…

— C'est impossible que des gens qui s'extasient devant Michel-Ange et Raphaël n'aient pas une profonde horreur de tout ce que je peins.

— Vous n'aimez pas Michel-Ange et Raphaël ?

— Pas plus que les autres.

— Même Giotto, que nous considérons comme l'initiateur de la peinture moderne ?

— Giotto est comme les autres. Images pieuses, peintures édifiantes, crucifix à gogo.

— C'était obligatoire à l'époque. L'Église avait le monopole des commandes. Elle imposait les sujets et veillait à ce que chaque fresque ou tableau s'accordât à la sainteté du lieu où il serait exposé.

— Pourquoi les Italiens se sont-ils soumis aussi servilement aux prêtres ? Regardez ce qui se faisait en France, *fille aînée de l'Église*, quand la peinture y a pris son essor. Vous devez connaître *Le Bain de Diane* de Clouet, les mythologies de Poussin, les couchers de soleil du Lorrain, les natures mortes de Chardin ? J'ai acheté, de Louis Le Nain, une *Famille de paysans*. L'homme, épuisé, les traits minés par le travail, s'est assis près de son cheval qu'il tient par la bride, la femme, pieds nus et sales, porte une bassine de lait en équilibre sur sa tête, un garçon dépenaillé dont on voit le nombril joue du pipeau, jambes nues et pieds sales. En quatre siècles de peinture, les Italiens ont-ils peint une seule scène dans ce genre ? Jamais de familles pauvres, ou simplement ordinaires. Uniquement des Saintes Familles, une Sainte Famille après l'autre, des familles bien vêtues, propres et nettes comme si elles sortaient d'une salle de bains.

Venturi remua quelque chose au fond de la poche de son veston. D'après le cliquetis, il me sembla que ce quelque chose devait être les grains d'un chapelet. La réprobation de l'athée se borna à ce geste.

Pablo continua :

— Le contraire de ce qui a eu lieu en Espagne, pays qui a pourtant subi une domination catholique aussi forte que l'Italie. Qui a pris chez nous la tête de la résistance ? Mais les peintres justement. Giotto peignait des scènes de l'Histoire sainte, Michel-Ange des Jugements derniers, Titien des Pietà, Tintoret des Descentes de croix, Pérugin des Mariages de la Vierge, Botticelli des concerts d'anges, Raphaël des Madones (quel besoin d'en faire autant ? Madones à toutes les sauces, au livre, au chardonneret, au jardin, au voile, au perroquet, aux candélabres, à la chaise, au rideau, à la promenade, à la rose, à l'œillet !), les peintres italiens remplissaient les églises d'images pour premiers communiants, quand Greco peignait *L'Enterrement du comte d'Orgaz*, Ribera *La Femme à barbe* de Tolède, Zurbarán *Les Travaux d'Hercule*, Vélasquez des déjeuners de paysans, des repas d'œufs, une vieille femme devant sa poêle à frire. Imaginez-vous un de vos peintres s'éloigner des autels et quitter le bon Dieu pour faire un tour à la cuisine ?

— Le Vatican a pactisé avec Mussolini, reconnut Venturi. Mais autrefois, nous avons eu des papes progressistes, si j'ose dire, des papes qui ont protégé les arts, Jules II, Léon X, Sixte Quint...

— À condition qu'on leur fournisse des chapelles Sixtine, des Libérations de saint Pierre, des Transfigurations, des Mises au tombeau.

— Vous ne sauvez donc aucun de nos peintres ?

— Georges Salles, le directeur du Louvre, me proposa d'exposer une dizaine de mes toiles à côté de certains chefs-d'œuvre classiques que j'aurais choisis dans son musée. Je serais le premier peintre vivant, me dit-il, à voir ses toiles au Louvre. La confrontation avec celles d'anciens maîtres ne pourrait être que stimulante. Acceptant le défi, j'ai choisi pour la confrontation un Zurbarán, deux Courbet, trois Delacroix.

— Aucun de nos tableaux italiens n'a trouvé grâce à vos yeux ?

— Georges Salles, qui venait de réorganiser la Grande Galerie, était aussi surpris et peiné que vous. Pour ne pas le froisser, j'ai parcouru une nouvelle fois cette galerie. Les Saint Sébastien me répugnaient, la mièvrerie des Madones et des anges me soulevait le cœur, les regards ambigus, les petits doigts en l'air, les poses alanguies et molles de Léonard de Vinci sont tout ce que je déteste dans l'italianisme. Finalement j'ai dit :

« — Il n'y a qu'un seul de ces tableaux auquel j'ai envie de comparer une de mes toiles : *La Bataille de San Romano.* Cette forêt de lances, belle comme un théorème, cette gloire de panaches dont sont hérissés les casques, cette géométrie de jambes, d'hommes et de chevaux, parallèles, ne décrivent pas la bataille, elles en expriment l'idée.

« Georges Salles comprit très bien ma pensée. Nous convînmes en riant que le titre de premier cubiste revenait de plein droit à ce Paolo Uccello, peintre non d'objets mais de lignes.

Pour le taquiner, Venturi demanda :

— Et notre pauvre et chère *Joconde*, vous l'exécrez elle aussi ?

— Ah ! si Léonard s'en était tenu à ses dessins anatomiques, à ses planches d'écorchés, à ses études de muscles, à ses calculs sur la physique des corps, je le reconnaîtrais comme un maître.

— Étiez-vous à Paris quand on a volé *La Joconde* ?

La question était malicieuse, mais il y répondit sans le moindre embarras.

— Je n'ai pas été très courageux à cette occasion, si c'est là où vous voulez en venir. J'ai laissé emmener mon ami Apollinaire en prison, sans le défendre devant la justice. Savez-vous pourquoi ? Je ne souhaitais pas faire avancer l'enquête. J'aurais voulu qu'on ne retrouve jamais ce tableau. La Grande Galerie aurait été débarrassée du sourire doucereux de cette dame et de ses yeux de merlan frit.

— *Caspita!* Une telle opinion va scandaliser ! Mais comment se fait-il que vous soyez si hostile à nos peintres ? Les mots de *mièvre*, *doucereux*, *alangui* reviennent sans cesse pour qualifier leur travail. J'admets volontiers que la peinture espagnole est plus robuste, plus rude. Mais Greco, Murillo, Zurbarán n'ont pas été avares de tableaux religieux ! Vélasquez lui-même s'est prodigué en Christs, en Vierges, en papes. Cela ne préjuge en rien des sentiments intimes de vos peintres. Ne devaient-ils pas, eux aussi, obéir aux commandes, dont la plupart émanaient de l'Église ? Bien qu'au service de papes et de cardinaux, ils pouvaient être parfaitement agnostiques, et peindre sous les traits d'une Vierge à l'Enfant une simple maternité de leur entourage. Les portraits de Philippe IV et des enfants du roi ne prouvent pas que Vélasquez était un vil courtisan : sans l'appui de la cour, il aurait été au chômage. Je ne m'explique pas ce qui vous braque ainsi contre Léonard de Vinci, contre Michel-Ange. En feuilletant le catalogue de l'exposition Caravage à Milan, vous avez dit l'an dernier :

« C'est très mauvais, c'est complètement décadent. » N'est-ce pas un peu sommaire comme jugement ?

Il ne répondit pas tout de suite. Je voyais qu'il hésitait à assener au brave professeur l'argument qu'il tenait en réserve.

— Tous ces peintres que vous me citez ne sont pas de vrais hommes, dit-il enfin.

— Pas de vrais hommes ?

— La peinture italienne est tout entière affaire de... Vous ne pouvez pas le nier, elle pue la *marica*.

— La quoi ?

— Le *finocchio*, come je crois que vous dites, le *frocio*. (Venturi signifia par une moue qu'il ignorait ces mots prétendument italiens et refusait catégoriquement de les comprendre.) *Marica* Donatello, *marica* Michel-Ange, *marica* Léonard de Vinci, *marica* Botticelli, *marica* Bronzino, *marica* Caravage, super-*marica* ce Giovanni Antonio Bazzi, qui se faisait appeler tout court Sodoma, pseudonyme dont il se vantait. (Venturi sursauta.) J'ai vu son *Saint Sébastien* à Florence, un tableau démonstratif, complaisant, dégoûtant, qui exhibe ce qui ne devrait être que suggéré. D'ailleurs l'Italie est pleine de tableaux de tapettes déguisées en saints Sébastien. La flèche qu'on leur plante dans le ventre ne fait qu'augmenter leur plaisir de se montrer nus. Pourquoi nus, d'ailleurs, dans des tableaux où tous les autres, étant des apôtres, des saints, des évêques groupés autour de la Madone, sont habillés de pied en cap ? Est-ce qu'une flèche n'est pas capable de transpercer une chemise ? Poitrine, ventre et cuisses nues, les saints Sébastien se déhanchent avec ostentation. Trouvez-moi en Espagne une seule de ces lopes qui se dandinent en levant au ciel des yeux larmoyants.

Une telle sortie, un peu rude à vrai dire, ne m'étonna pas, de la part d'un homme connu pour sa franchise. D'ailleurs, quelle y était la part de l'humour ? Je m'attendais à ce que Venturi, qui en était dépourvu, proteste, en disant que la vie privée d'un artiste n'a aucune influence sur son œuvre. Il me déconcerta, d'abord par son attitude : il se rétracta, se tassa sur lui-même, comme s'il voulait mettre fin à la conversation et même disparaître de la pièce. Le mot *finocchio*, c'était clair, l'avait profondément offensé. C'était un de ces mots que, dans son milieu, on ne prononce pas. On ne le prononce pas parce qu'il correspond à une chose censée ne pas exister. Ne pas nommer cette chose empêche qu'elle existe. Lui donner un nom empêche de la nier. J'aurais juré que le mot n'était jamais sorti de sa bouche, parce que la notion qu'il recouvre n'entrait pas dans son champ mental, surtout appliquée à ceux que leur statut de *grands hommes* place au-dessus du soupçon. À Perpignan on n'a pas de ces pruderies. Notre grand homme à nous, Charles Trenet, nous a habitués à l'idée qu'un artiste a droit à des égards particuliers. *Le Petit Pensionnaire* est un souvenir coquin du dortoir du lycée Arago. Collioure et Céret ont bercé sa jeunesse. *La Mer* a été écrit sur la plage d'Argelès. Personne d'entre nous, en l'entendant chanter

Ah qu'il est beau le débit de lait
Ah qu'il est laid le débit de l'eau

n'est assez bête pour croire qu'il va traire ce lait dans une étable. Dans le poème qu'il a dédié au petit André, apprenti garagiste (il adore les jeunots en salopette), quel énorme, pimenté, joli calembour il nous a offert !

Je t'attendrai à la porte du garage

Ce jeu de mots-ci, Pablo ne l'aurait pas apprécié ! Je doute même qu'il eût compris l'astuce.

Charles Trenet, quand le reste de la France l'appelle *le fou chantant*, nous l'appelons nous, avec la malice et la spontanéité catalanes, *la folle chantante*.

En Italie, ils n'en sont pas encore là. Venturi, revenu de sa stupéfaction, se redressa lentement. Son premier geste fut de resserrer le nœud de sa cravate. Il toussota et reprit son aplomb.

— Nous n'avons pas l'habitude, dit-il d'une voix sèche et distante, d'aborder de tels problèmes dans nos études sur l'art. Nos études sont sérieuses. Elles portent sur le *comment* et dédaignent le *pourquoi*. Nous considérons qu'une œuvre est indépendante de l'auteur. Ce qui peut avoir lieu dans l'alcôve ne préoccupe pas l'Université.

— L'alcôve ? Dites le lit, cher Professeur.

— Un universitaire digne de ce nom ne se permettra jamais d'insinuer à ses élèves que les auteurs mis au programme ne sont pas d'une parfaite moralité.

— Mais bien sûr, Professeur. Vos jeunes gens doivent être éduqués dans les meilleurs principes. La vertu avant tout !

Maria vint nous prévenir que nous pouvions passer à table. Le professeur avait repris son assurance et nous suivit dans la salle à manger, compensant par la dignité de son maintien l'affreuse accusation dont il se sentait personnellement souillé. Nous devinions à sa mine renfrognée l'article vengeur qu'il écrirait à peine rentré à Rome. « Ces Espagnols n'ont aucun respect du grand art ! Ils traitent les génies comme des criminels ! » La conversation roula sur l'ouverture prochaine à Perpignan d'un musée dédié à Hyacinthe Rigaud, peintre de Louis XIV, né à Perpignan. Il se régala de ce qu'on lui servait et demanda si ce plat avait un nom particulier. Pablo lui expliqua que cette spécialité catalane, pour la distinguer de l'omelette sans piment ni chorizo qu'on trouve ailleurs, s'écrit à Perpignan *hommelette* avec un *h* et deux *m*, en raison de ces deux ingrédients d'une virilité évidente ; mais que, lorsqu'on y ajoute de la sauge, de la menthe, de la verveine et d'autres plantes aromatiques féminines, comme c'était le cas aujourd'hui, on la rebaptise *femmelette*. Nous nous retenions à peine de rire, devant le professeur ravi, après ce qu'il avait entendu dire des mœurs de son pays, de manger un plat au sexe indiscutable.

À l'improviste – on le voyait ruminer depuis quelque temps cette idée – il bredouilla, d'une voix presque suppliante :

— Maître, vous avez séjourné autrefois à Rome et à Naples. Ne me dites pas que ce voyage n'a laissé aucune trace dans votre œuvre... Il n'est pas possible que ces huit semaines n'aient pas marqué d'impressions durables votre âme d'artiste... À Rome, vous habitiez via Margutta, si mes renseignements sont bons, non loin de la place du Peuple. Poussin déjà avait habité dans cette rue. Canova y avait eu pendant un certain temps son atelier. Ingres s'y était installé avant d'emménager dans une tour de la villa Médicis. Les fenêtres de votre atelier s'ouvraient sur le Pincio. La vue portait jusqu'à la villa Médicis et la Trinité-des-Monts. Mes étudiants seraient déçus de savoir que ce décor, ces souvenirs, cette atmosphère imprégnée d'art et de beauté n'a eu sur vous aucune influence... Laissez-moi leur dire qu'elle vous a marqué durablement. Ils n'auront plus besoin d'envahir mon bureau pour me demander des sujets de mémoires...

— Votre hypothèse, dit l'oncle Alphonse, est séduisante. J'y avais pensé pour ma biographie. Mais en quoi sera-t-elle utile à vos étudiants ?

— Oh, les sujets ne leur manqueront pas. « Incidences du séjour italien sur son évolution », en voilà un en or. « Un Espagnol à Rome » ne serait pas mal non plus, bien que trop romanesque, insuffisamment scientifique... Ou encore : « Comment l'âme des Anciens a guidé la main d'un Moderne »... Quelle manne pour cette jeunesse enthousiaste... Je parle sérieusement, vous savez. Maître, vos solides et pesantes anatomies féminines peintes dans le style que nous nommons « antique », vos maternités plantureuses, vos familles au bord de la mer, vos femmes en chemise figées dans une immobilité sculpturale, ne découlent-elles pas des statues romaines ? Les fresques de la villa des Mystères de Pompéi, massives et hiératiques, n'ont-elles pas servi de modèles à vos baigneuses monumentales ? Non ? En tout cas, vous admettrez que le souvenir des polichinelles aperçus dans les rues de Naples, pendant qu'ils sautent pleins de gaieté et gesticulent à la grande joie des badauds, vous a inspiré, quelques années après, les décors et les costumes de *Pulcinella*, ce ballet dont Stravinski a puisé la musique dans les opéras du Napolitain Pergolèse.

— Mes premiers polichinelles, je les ai vus à Malaga, répondit-il sèchement.

— À Malaga ? Si jeune ?

— J'avais cinq ou six ans quand j'ai vu pour la première fois des polichinelles, des arlequins et des acrobates. Ils ne suscitaient pas la joie chez les badauds, comme vous dites, ils leur faisaient partager leur propre et affreuse tristesse. Je ne connais pas d'être plus désemparé qu'un bateleur de profession. Plus tard, à Barcelone et à Paris, j'en ai observé, peint et dessiné des dizaines avant d'imaginer que j'irais un jour à Naples... Qu'expriment-ils, sinon les déceptions, les fatigues, l'amertume de nomades voués à une existence précaire ? Faire rire est le métier le plus triste du monde. Les grands comiques sont de profonds hypocondriaques. Paulo, ajouta-t-il en se tournant vers son fils, ton portrait en arlequin à l'âge de trois ans, ta mine de papier mâché reflètent la mélancolie du saltimbanque. Il faut n'avoir jamais connu le froid, la faim, la contrariété des déplacements continuels, l'obligation de paraître gai quand on voudrait se coucher et mourir, pour croire que le métier de forain présente quelque agrément.

Notre hôte marmonna une excuse. Sa déconfiture faisait peine à voir. Quant à moi, j'ai pensé que les mots de Pablo sur les polichinelles pouvaient s'appliquer à lui-même. Joyeux et drôle quand il descendait pour les repas, accablé et triste *à mourir* une fois retiré dans son atelier, il donnait l'exemple de ce courage qu'il prêtait aux funambules.

— Mais si vous tenez absolument, reprit-il, à ce que l'Italie m'ait appris quelque chose, citez à vos étudiants ce proverbe, que j'ai entendu dans la bouche de gamins qui jouaient au *mort vivant* dans un quartier populaire de Rome. Ils avaient pour dés de minuscules crânes qu'ils s'étaient taillés dans des morceaux de bois avec leur petit couteau pointu. Ils les jetaient par terre dans un profond silence, interrompu seulement quand ils répétaient comme une formule magique ces deux vers que j'ai appris par cœur tant ils m'ont plu :

Che l'omo vivo come l'omo morto
ha 'na testa de morto ne la testa.

« Quelle philosophie ! Voilà qui me changeait des clairs de lune sur le Colisée et des nigauds enlacés devant la fontaine de Trevi. *Vivant ou mort, tout homme porte avec lui sa tête de mort.* Sa tête est ce qu'il y a de plus précieux pour un homme, car c'est déjà la tête qu'il aura dans sa tombe.

— Je connais ces deux vers. C'est un distique fameux de notre poète en dialecte Gioacchino Belli ! s'écria le professeur, pour détendre l'atmosphère soudain refroidie.

— *Triunfo de la muerte*, dit Pablo gravement.

Détachant les syllabes, il les martela en espagnol, pour faire sentir au rital combien la langue italienne, mélodieuse et privée d'énergie, est incapable de frapper cette devise avec la force nécessaire.

Le repas s'acheva dans un lourd silence, pendant qu'il griffonnait sur la nappe un bucrane auquel la mâchoire en dents de scie et les orbites caverneuses donnaient un aspect particulièrement macabre.

21

Mots en folie

À quelque temps de là, il me tendit une liasse de papiers et me demanda de les lire et de lui dire franchement s'ils valaient quelque chose ou étaient bons à jeter. Encore un tour qu'il me joue ! Telle fut ma première réaction, en feuilletant ces grimoires où les lignes s'agglutinent et s'entassent, pêle-mêle, de travers, en diagonale, n'importe comment, au petit bonheur, sans virgules ni points. Aucune majuscule non plus. La phrase commence et s'arrête sans qu'on sache comment ni pourquoi. Les mots, à peine séparés les uns des autres, s'enchaînent par caprice, ou hasard ; décousus, sans liaison. Les images se chevauchent, incohérentes. Dénuée de toute logique, la pensée divague. Des taches d'encre, qui semblent voulues, des ratures faites d'un trait appuyé, des ajouts par-dessus les ratures, des chiffres cabalistiques insérés entre les mots, rendent encore plus ardue la lecture. Pour ne rien dire de l'orthographe ! Mais là, les fautes sont involontaires, puisqu'il écrit directement en français. Par exemple, *pied* est écrit *pié*, *plafon* sans *d*, *étofe* avec un seul *f*, *dechirantes* sans accent. Quant aux règles de la mise en page, il fait exprès de les bafouer, comme il bafoue celles de la ponctuation : ne les ayant pas établies lui-même, cet orgueilleux n'en reconnaît pas le bien-fondé. Quel fatras ! me dis-je, avant d'en comprendre la raison.

En peinture, devant une toile blanche, il se sent totalement libre : il règne et il gouverne. Roi absolu, il n'obéit qu'à lui-même. Cet espace vide, nu, vierge, se trouve livré à son pouvoir. Si biscornues et arbitraires soient-elles, si éloignées de tout aspect connu, personne n'a le droit de lui contester les figures qu'il invente. Mais la langue, elle, existe en dehors de nous. Il se heurte, quand il écrit, à un matériau extérieur à lui, dont il doit tenir compte. Le dictionnaire, auquel ils appartiennent, lui résiste par les mots qu'il lui fournit, la syntaxe par les tournures qu'elle lui impose. Le *n'importe quoi* est interdit à l'écrit.

Aux prises avec quelque chose qu'on n'est pas maître de manipuler, comment faire du nouveau, qui ne se rattache à rien de ce qu'on connaît ? Il s'est donc évertué à maltraiter la langue, à en bousculer les usages, à la dépecer aussi insolemment qu'il démembre le corps de ses modèles, mais la langue ne s'est pas laissé faire, avec pour résultat cette suite de poèmes déjantés, désarticulés, disloqués, presque incompréhensibles, dont il veut savoir néanmoins, puisqu'il me les soumet, s'ils ont quelque chance de plaire.

Tous les feuillets sont datés. La date, placée en haut à gauche, et quelquefois le lieu, qui accompagne la date, constituent les seuls repères *raisonnables* posés dans une page sans queue ni tête. J'ai recopié sur des pages blanches certains de ces feuillets, dans l'espoir que le mouvement de ma main me révèle un peu de leur secret.

la flûte le raisin le parapluie l'armure l'arbre et l'accordéon les ailes de papillon du sucre de l'éventail bleu du lac et les flots azurés des soies des cordes pendues aux bouquets de roses des échelles une et incalculable démesurée marée de colombes lâchées ivres sur les coupants festons des prismes fixés aux cloches décomposant de ses mille cierges allumés les verts troupeaux des laines illuminées des douces acrobaties des lanternes pendues à chaque fil des arcs et la définitive aurore

— Regarde la date, me dit Totote, qui avait lu par-dessus mon épaule.

— 16 mai 1943.

— Eh bien ?

— La date, il la met chaque fois. N'est-ce pas curieux, pour des pages qui semblent détachées du temps, sans rapport avec sa vie privée ?

— Qu'importe la date ? En quoi peut-elle éclairer ce galimatias ? Tu te rappelles la remarque de l'oncle Alphonse au sujet de sa pièce de théâtre, *Le Désir attrapé par la queue*, une farce jouée en privé devant quelques amis ? Chaque fois qu'il s'essaie à l'écriture, il aurait peur, s'il utilisait le langage de tout le monde, de paraître un traître, un *jaune*, aux ordres de la société bourgeoise. Pensez donc ! nous a dit encore l'oncle Alphonse, il s'adressait, pour ses débuts en littérature, à un parterre d'intellectuels de gauche déjà célèbres ! Jean-Paul Sartre, Simone de Beauvoir, Albert Camus, Raymond Queneau, Jacques Lacan ! Quel aréopage ! Désireux de paraître, à des esprits aussi modernes, non moins révolutionnaire en littérature qu'en peinture, il décida, pour ne pas déchoir à leurs yeux, de recourir à un procédé odieux aux lecteurs du *Figaro* : ce fut l'écriture automatique, prônée par son ami Paul Éluard, honnie des cercles bien-écrivants, proscrite par l'Académie française. La commodité de ce système lui ayant plu, il y est resté fidèle.

Totote haussa les épaules.

— L'oncle Alphonse s'est trompé une fois de plus. Le 16 mai 1943 n'est pas une date quelconque. Le 15, il avait fait la connaissance de Françoise, dans un restaurant où il dînait avec Dora Maar. Le lendemain, sous le coup de cette rencontre, il a écrit ce qui ne te semble que du galimatias, mais représente pour un homme aussi pudique le comble du romanesque et du sentimental. Regarde.

Elle prit un crayon et souligna les formules qui selon elle, par leur mièvrerie même, attestent de quelle joie soudaine, enfantine, il s'était senti envahi, comme un tourtereau à sa première amourette : « ailes de papillon du sucre», «éventail bleu du lac», «flots azurés», «bouquets de roses», «marée de colombes», «douces acrobaties».

— C'est drôle, ajouta-t-elle, de constater comme le bonheur ne lui inspire que des métaphores usées, des clichés douceâtres, des formules de cartes postales. «Flots azurés», «verts troupeaux», «bouquets de roses»: y a-t-il images plus insipides? *Il lui conte fleurette*, comme un jeunot qui ne se méfie pas encore des lieux communs. Inutile que je choque tes oreilles en te précisant le double sens de «flûte» et de «raisin», autres naïvetés d'adolescent. Dans «parapluie» et «armure», mots qui indiquent l'intention de se protéger, de se défendre, je vois le timide sursaut avant la reddition. Il s'est pourtant lâché à la fin, par une dernière fleur bleue, «la définitive aurore».

Je convins avec elle que ces lignes en apparence absurdes reflètent le bouleversement éprouvé. Écriture automatique, oui, mais utilisée comme procédé pour noyer au milieu d'un texte décousu des émotions primaires impossibles à avouer quand on se pique d'être à la pointe de l'avant-garde.

— À quoi s'ajoute son espagnolisme, dit Totote. Il se croirait déshonoré par la moindre expression en clair de sa vie privée. Ce serait un signe de faiblesse, de lâcheté, indigne d'un Andalou.

J'avais hâte d'arriver aux feuillets plus récents. Je me suis d'abord arrêtée à celui daté du 18 juillet 1951. Au 14 juin précédent remontait la dernière photographie de Françoise avec lui ; ils avaient assisté à Saint-Tropez au troisième mariage de Paul Éluard ; depuis lors, on ne les avait plus aperçus ensemble. Pablo était venu seul à la fête de village de Vallauris, lui qui jusque-là ne participait aux réjouissances publiques et aux concours de pétanque qu'accompagné de Françoise.

organdi myosotis arbre en folie palme arrachée au masque du bleu incommensurable glacé par le soleil détaché de sa course les doigts tendus de l'aurore recevant en plein sur sa poitrine l'averse d'étoiles mordorant de toutes ses dents les chants enamourés des grenouilles en deux feux de Bengale le grouillement d'arômes les drapeaux et dentelles cloués aux pans de l'étoffe amarante de ses regards l'herbe sèche broutant la corde du gibet attendant à genoux l'épée rapide égorgeant la plaie laissée entrouverte

Cette fois, je n'eus pas besoin de Totote pour déchiffrer les symboles. Bien que la séparation de Françoise ne fût pas encore définitive, il en avait multiplié, dans une frénétique volonté d'exorcisme, les signes annonciateurs : « arbre en folie », « palme arrachée », « masque du bleu », « soleil détaché de sa course », étoiles armées de « dents », « herbe sèche », « corde du gibet ». Aux images positives du poème de mai 1943 s'opposent les images négatives, parfois sinistres, de celui-ci. Évoquer « les chants enamourés des grenouilles » trahit le pitoyable effort de piétiner, ravaler, nier par une comparaison grotesque les années de bonheur amoureux vécues aux côtés de Françoise. Tout dans ce texte révèle la hantise de l'arrachement et de la dépossession ; l'attente angoissée du moment où « l'épée rapide » de la rupture viendra « égorger » « la plaie entrouverte ».

Pour les mois de septembre et d'octobre 1951, j'ai glané ces quelques extraits. « La lune cache son jeu et met doucement le feu aux nuages (un âne brait au loin). » « Un voile de cendres étouffe les cris du soleil. » « L'amour trahit ses armes et mord la poussière en tapant de ses ailes contre les vitres. » « On entend l'heure assise au bord de la chute. » « Ici se termine ce roman-feuilleton. » « Raz de marée du silence. » « Le soir arrive à point éclaboussé d'épingles. » « Suicide aux enfers », expression soulignée, corrigée par ces mots : « pour cette fois-ci nous nous condamnons à vivre pour toujours et chaque jour c'est tout dire à bon entendeur salut ». La vie subie désormais comme une condamnation ! Il y aurait de quoi en effet se refuser à une comédie devenue cruelle par

> *la musique de la lumière tapant dur comme fer sur le cuivre des casseroles le quart de brie du soleil collé aux linges tendus à craquer sur les rayons brisés des reflets renversés du matin sonnant son collier de clochettes sur le cou de la bête la naissance du nu apparu dans l'eau dormante du couteau ouvert jambes écartées sur le lit souleva le coin déchiré du rideau accrochant au plafond la nappe de flammes tombant lourdement sur le mur de*

la chambre et le lit ses berlingots et ses huiles drapant l'alcôve de ses fines arabesques et minutieuses diableries fagot hâtivement fait de ceps de vigne rôtissant ses jours et ses nuits fixés à la fenêtre la béance appelant le crime le vin coulant à flots et la farine noire d'aloès vidant ses poches au cœur la plus petite faute mettant au jour la stupidité révélée à tant de frais raclant le fond de la marmite et tirant ver à ver les vers du nez

N'est-ce pas une sorte de viol, conséquence de la fin de l'amour, que suggère cette accumulation d'images affreuses : « couteau ouvert », « jambes écartées », « nappe de flammes », « minutieuses diableries », « béance appelant le crime » ? Pour comprendre « Tirer ver à ver les vers du nez », répétition qui sonne comme le rappel d'une expérience pénible, j'ai eu besoin des lumières du docteur Delcos.

— Cette redondance, ce ton désolé vous resteront incompréhensibles, m'a-t-il dit, si vous n'admettez pas, avec les psychanalystes, l'équivalence entre « nez » et l'appendice qui lui ressemble. Je sais que votre bon sens catalan se hérisse devant les exagérations de Freud. Mais dans le cas qui vous occupe, croyez-moi, l'inconscient de Pablo lui a fourni la métaphore juste. Les chansonniers, a-t-il ajouté pour m'égayer un peu, se servent à cœur joie de cette équivalence pour dauber sur le général de Gaulle.

Cher Jacques, merci de votre gentillesse, mais je ne suis pas d'humeur à vouloir être gaie. Je trouve particulièrement abominable cette invention de réduire l'acte sexuel au travail de «racler le fond de la marmite».

Enfin, tout récent, en date du 28 mars 1952, ce cri de désespoir (si on peut appeler «cri» cette ribambelle incohérente de mots en folie alignés à la va-comme-je-te-pousse) :

Si non discrètement reclus et stupidement recueilli entouré d'arômes et girandoles presque seul et terriblement emmitouflé de chiffres le coup de gong frappant au rai de lumière si douce accrochée aux plis de l'étoffe étalée si scandaleusement sur la blancheur du drap largue ses fils de soie sur l'étendue du champ d'avoine retient goutte à goutte griffes jaillies et rit de toutes ses dents l'image renversée de son bonheur la large flaque lilas du nu dispersé sur le lait tiède répandu sur le coton vert amande du croc-en-jambe des rideaux tirés incendie la paille en bulles de savon et tricote sagement ses mathématiques

La sagesse dans les mathématiques? Quelle est cette nouvelle lubie? Peut-être un souvenir de Jean-Jacques Rousseau? La honte du fiasco s'acharne sur les vieillards mais peut frapper à tout âge. Le jeune Jean-Jacques, à Venise, n'ayant pas réussi à satisfaire la nommée Zulietta, s'entend dire, par cette professionnelle de l'amour, d'un ton froid et dédaigneux accompagné d'un sourire ironique: «*Zanetto, lascia le donne, e studia la matematica.*» Et le pauvre garçon de s'enfuir humilié.

— Décidément, conclut Totote – qui n'avait pas lu *Les Confessions* –, ce n'est pas la poésie qui le délivrera de son obsession. Il se déchaîne en sarcasmes contre «la blancheur du drap», le «goutte à goutte» (inutile, Aimée, de baisser pudiquement les yeux!) et la «flaque lilas du nu», mais reste comme assommé par «le coup de gong». Le voilà «reclus», «terriblement emmitouflé», «stupidement recueilli», «presque seul»...

Pas un mot sur Jacqueline; pas une seule allusion à cette possible nouvelle compagne. Elle ne manque pas, cependant, de monter chaque soir à l'atelier et de frapper timidement à la porte, qui s'ouvre une fois sur trois. La délivrance, peut-être ne l'espère-t-il que de ce tableau auquel il travaille en secret? À nouveau, nous nous sommes demandé ce qu'il attend pour le finir.

22

La corrida

Nous partîmes pour Céret dans l'Hispano conduite par Paulo. Avec Jacqueline, mais sans Totote. Que celle-ci avait été maladroite, dans ses efforts de conciliation ! Elle lui avait dit :

— Mais comprends-la ! Elle avait l'impression d'étouffer avec toi. Ce n'est pas de ta faute, Pablo, mais les choses sont ce qu'elles sont. N'a-t-elle pas le droit d'être heureuse ?

— Naturellement, avait-il crié, rouge de fureur, nous vivons dans un âge bassement sentimental ! On ne pense qu'en termes de « bonheur », comme si cela existait. Le droit d'être heureuse, quelle baliverne ! Autant n'être pas née ! Ce qu'il nous faut, ce sont des matrones romaines ; c'étaient les seules vraies femmes. Elles avaient le sens du devoir. Quand une femme a des enfants, son devoir est de rester auprès de leur père. Qu'elle se sente heureuse ou malheureuse, on n'en a rien à fiche !

— Les temps ont changé. Tu n'as pas le droit de te montrer aussi égoïste ! Elle a trente-deux ans et les exigences de son âge.

À cette objection, il avait explosé grossièrement.

— Eh bien, qu'elle aille se faire foutre ! Personne ne s'intéressera à elle, car elle me doit tout, et sans moi elle ne sera plus rien. Au reste, à trente-deux ans, c'est déjà une petite vieille, à côté des filles de vingt ans !

Scandalisée, Totote avait continué à prendre la défense de Françoise.

— Son talent s'affirme de jour en jour. Kahnweiler, ton marchand allemand, ne vient-il pas de lui organiser une exposition ?

— Nous savons tous pourquoi il apprécie ses croûtes, rétorqua-t-il en ricanant. La ficelle est grosse comme un câble.

Pour punir Totote d'avoir osé intervenir en faveur de Françoise, il nous avait défendu de l'emmener à Céret avec nous.

En revanche, nous avions embarqué Jean Cocteau, de passage à Perpignan, le fameux Cocteau que je voyais pour la première fois, sec et osseux, échassier tiré à quatre épingles, alors que tous, nous nous étions mis à l'aise, en short et en polo. Quand il sut où nous allions, il se mit à glapir, d'une voix suraiguë et cassante, qu'il ne fallait pas compter sur lui pour *admirer du pittoresque.*

— J'ai horreur du pittoresque ! J'ai horreur du pittoresque ! J'en ai horreur ! répéta-t-il plusieurs fois. Si je viens avec vous, ne croyez pas que j'admette le pittoresque parmi les beaux-arts. Je refuse de passer pour un amateur de couleur locale. J'interdis qu'on me prenne pour un curieux de folklore.

Bien sûr, la corrida comporte *aussi* du pittoresque, *aussi* du folklore, ne serait-ce que par l'éclat de la fête, le faste et la variété des couleurs, le scintillement des costumes. Mais c'est d'abord, contrepartie païenne de la crucifixion du Seigneur, une cérémonie religieuse. Mon beau-père m'y avait initiée, quand il m'avait emmenée à Séville, berceau, patrie, conservatoire de la corrida. Nous y arrivâmes pour le dimanche de Pâques, jour de la réouverture de l'arène après la trêve hivernale. L'arène rouvre exprès ce jour-là, à six heures du soir, après la grand-messe pontificale du matin, pour souligner la concordance du profane et du sacré. La corrida est un rite d'amour et de mort, magnifié par les sonneries de la fanfare. Tantôt glorieuses et tantôt funèbres, mais toujours avec une lenteur solennelle et poignante, elles accompagnent chaque phase du sacrifice.

D'ailleurs, en quoi le pittoresque serait-il condamnable ? Cette affectation de snobisme me déplut. Je trouve qu'il y a de la prétention à vouloir se placer au-dessus des spectateurs ordinaires, et qu'on se fait à bon compte une réputation de poète en feignant de mépriser ce qui attire le commun des mortels.

J'avais un autre sujet d'antipathie pour Cocteau, sans que je puisse me donner les raisons de cet éloignement. Son complet était d'un grand faiseur ; sa chemise et ses chaussures, anglaises ; sa cravate, d'Old

England ; son épingle de cravate, de Cartier. Aussi élégant, même pour venir nous voir en province, que ses portraits dans les pages de magazines, l'homme paraissait pourtant embarrassé et méfiant, comme s'il avait peur de sa propre légende et cherchât à la faire oublier. Pourquoi se détournait-il aussi ostensiblement de Paulo ? Il avait toujours soutenu avec audace les choix de sa vie privée, et voilà que, au lieu de tourner autour du jeune homme, comme chacun de nous s'y attendait, il faisait semblant d'ignorer cet échantillon accompli de croisement entre la beauté russe et la beauté andalouse. Pablo avait fort bien observé cette sorte de contre-manège.

Il lui dit pour le taquiner :

— Toi qui n'es jamais allé à une corrida, je parie que tu craqueras quand tu te verras entouré de jeunes et beaux Catalans.

Au lieu de paraître excité, Cocteau feignit l'indifférence, comme si la perspective de se trouver à leur contact ne le concernait pas.

Lui alors, implacable :

— Ne me dis pas que la rumeur que j'ai entendue est vraie !

— Quelle rumeur ?

— Un bobard, évidemment !

— Dis toujours.

— Une calomnie !

— Mais encore ?

— Un potin parisien !

— T'expliqueras-tu, à la fin ?

— Le bruit circule que tu ne répugnerais pas à présenter ta candidature à l'Académie française.

— Peut-être, ce n'est pas encore sûr.

— Ce qui est sûr, c'est que tu as commencé tes manœuvres pour sembler moins imbuvable à ces messieurs. Tu courbes l'échine, tu cherches à te donner un genre *respectable*. On s'est mépris sur le compte de l'élève Dargelos, as-tu déclaré à la presse. « La boule de neige, les genoux nus et le couteau à cinq lames de mon condisciple à Condorcet ne sont que des fantasmes poétiques, où seuls des esprits mal intentionnés ont cru voir des souvenirs réels. »

— Moi, j'ai dit ça ?

— Nieras-tu aussi la multiplication des *dîners en ville* ? Il paraît que c'est indispensable.

— Heu… en somme…, fit Cocteau, gêné.

— Y emmènes-tu Jeannot ?

Cette cruauté fit briller dans son œil un éclair de malice.

— Pas vraiment, fut la réponse idiote.

— Allons, je te pardonne ton empressement à vouloir *te ranger*, ajouta-t-il en lui flanquant de sa patte d'ours une bourrade qui faillit le renverser. Tu m'exaspères mais je t'aime bien. En mémoire des beaux jours de *Parade*, je te pardonne les courbettes que tu t'apprêtes à faire pour entrer dans ce pot à cornichons.

Ces derniers mots (qu'il avait empruntés à un de ses écrivains de prédilection, bien qu'il n'ait jamais osé l'avouer publiquement, cet auteur étant notoirement « de droite » et militant catholique) gâtèrent définitivement la bonne humeur de Cocteau, qui se tint renfrogné pendant toute la durée de la corrida. Il avait remonté le col de sa veste et rabattu sur ses yeux le bord de son feutre, en sorte qu'aucun photographe ne pût le reconnaître dans l'arène et le prendre au milieu d'un parterre de jeunes et beaux garçons.

Quant à moi, je me suis calée comme j'ai pu entre mes deux voisins. L'arène n'est pas très grande, les gradins très resserrés, les gens s'y entassent les uns à côté des autres. Mon mari m'avait coincée contre Pablo, et nous étions si rapprochés sur le gradin, qu'il était presque forcé de se presser contre moi et de mettre sa main sur ma cuisse nue pour éviter le contact de son voisin de droite, gros bonhomme sans gêne qui débordait de sa place, fumait le cigare et crachait dans une vieille boîte à cachous. Paul nous observait. Je compris, à l'expression mielleuse de sa figure et à son sourire fourbe, qu'il n'hésiterait pas à me pousser dans les bras de notre ami, par vanité d'être trompé par un homme célèbre.

Louchant par-dessous le bord de son feutre, Cocteau lorgnait les toreros dont le costume moule jusqu'à l'indécence la juvénile anatomie. Pablo ne s'intéressait pas à ces *petits hommes*, comme il disait. Il les jugeait trop minces, trop efféminés, trop maniérés, à sautiller çà et là avec vantardise, et à se tourner vers le public pour se faire acclamer après chaque virevolte. Il ignorait même leurs noms, bien que parmi les trois il y eût le fameux El Tuerto, dont l'œil unique affaiblit la perception du danger et l'amène à surpasser en audace ses rivaux.

Pablo, seuls les taureaux le passionnent. Avant chaque course, il note dans un calepin leurs caractéristiques annoncées par une pancarte qu'on fait pivoter au milieu de l'arène afin qu'elle soit vue de tous les spectateurs. Le nom de la ganaderia dont chaque taureau provient y est inscrit en lettres capitales, ainsi que son poids (entre 600 et 700 kilos), son âge, son pedigree, la couleur de sa robe. Le plus beau moment de la course – j'étais d'accord avec lui – est au début, lorsqu'on a ouvert la porte du toril : la bête déboule dans l'arène et se lance au hasard sur la piste, tête haute, cornes dressées, naseaux fumants, jambes courtes et nerveuses, puis charge les péons qui cherchent à l'exciter en variant les passes de cape.

Pablo entreprit de commenter pour notre hôte chaque phase de la course. Avec quel enthousiasme il emphatisait cette ruée au combat ! J'ai admiré son éloquence, et comment il hissait au plan mythologique la réalité de l'affrontement entre l'homme et la bête. Je devrais écrire, avec des majuscules, l'Homme et la Bête.

Pour lui, en effet, un taureau ne provient pas de tel ou tel élevage d'Andalousie, ce n'est pas un Cabrera, un Gallardo, un Jijona, un Vasquez ou même un de ces terribles Miuras noirs, qui arrivent à peser 800 kilos, mais le Minotaure en personne, cette créature fabuleuse, comme il se plut à nous le rappeler. Le monstre exigeait un tribut annuel de sept jeunes gens et de sept jeunes filles, qu'il emmenait dans son palais crétois pour les dévorer.

— Voyez comme il fonce sur ces malheureux garçons qui n'ont que le temps de sauter par-dessus la barrière ! C'est la bestialité à l'état pur, la force primitive lâchée sans frein, la nature dans son élan invincible, l'instinct que rien ne bride, la sexualité triomphante. Il éventrerait le cheval si celui-ci n'était couvert d'un épais caparaçon. Comparez les silhouettes, celle du cheval et celle du taureau. La force du cheval est concentrée dans sa croupe, la force du taureau dans son poitrail. Le bassin large et abondant d'une femme contraste ainsi avec le torse ramassé d'un homme. À la sphère féminine s'oppose le trapèze masculin. Le taureau et le cheval se défient comme le principe mâle et le principe femelle. Quand l'époque n'était pas *bassement sentimentale*, ajouta-t-il avec un rire féroce, le cheval n'était pas blindé comme un tank, et il perdait ses entrailles qui se répandaient sous les yeux du public. On n'était pas, alors, ramolli par les prêches de la Société protectrice des animaux. On déniait à cette vieille rosse *le droit d'être heureuse*. Ah ! comme j'aimerais être à la place de ce taureau, posséder ces yeux de feu, cette encolure robuste, ce poitrail d'acier, ces cornes acérées, cette brutalité implacable ! Les garçons de la quadrilla n'en mènent pas large quand il court après eux ! Sus aux minets en culotte rose ! Il galope dans tous les sens à la recherche de celui qu'il pourra encorner ! Quand il s'arrête et frotte ses sabots contre le sable, c'est pour ramasser sa puissance en vue d'un nouvel assaut. Regardez-le ! Prêt à se précipiter sur le premier qui bouge ! Ardent, impatient, musclé comme un dieu !

Tandis qu'il s'exaltait ainsi, je sentais sa main serrer plus fort ma cuisse, sa poitrine se soulever et haleter d'un souffle animal. J'avais presque peur. Ma parole ! il se prenait pour le taureau, revendiquant la toute-puissance prêtée au Minotaure. Son goût de la corrida n'est si fort, ai-je compris ce jour-là, que parce que le temps d'une course il s'enivre de la vigueur génitale incarnée par la Bête. Je me poussai un peu plus du côté de Paulo, pour échapper à la pression de sa main. Ses doigts pénétraient dans ma chair et la pétrissaient avec une hâte gourmande. Geste involontaire, peut-être, mais fort dérangeant pour une femme de la « société ». Je voyais son biceps enfler et durcir sous sa légère chemise de coton à fleurs. Il soufflait à l'unisson du taureau, il raclait le sol de ses sandales de la même manière que le taureau grattait le sable de l'arène, je crois qu'il aurait voulu le voir embrocher *le petit homme* ficelé comme une femme, qui sautillait et virevoltait à vingt centimètres de ses cornes, minaudait et claquait de la langue avec des « ho ! ho ! » d'encouragement, pour l'amener à la position idéale où il lui planterait d'une seule estocade son épée entre le cou et le dos.

Les choses ne furent pas aussi simples, et il fallut que le petit homme s'y reprît à plusieurs fois avant de venir à bout du taureau. Lorsqu'il eut réussi enfin à l'abattre, et que le taureau se fut écroulé sur les genoux en beuglant, Pablo changea du tout au tout de physionomie. Il lâcha ma cuisse et s'effondra sur son siège. De même qu'il s'était identifié au taureau débordant de virilité, de même, à présent, il s'identifiait au taureau moribond.

— Vous voyez, nous dit-il, le Minotaure est toujours vaincu. On le punit d'avoir été aussi fier et d'avoir combattu aussi vaillamment. Le *toro bravo* n'est plus qu'une loque. Sa course triomphale aboutit à une pitoyable agonie. On lui passe maintenant une chaîne autour des cornes, pour que les mules attelées à sa carcasse l'emportent au galop chez l'équarrisseur, où il sera débité comme de la viande de boucherie. Hector, dont le corps fut traîné derrière le char d'Achille sept fois autour des murs de Troie, ne connut pas un sort plus honteux. C'est le destin du héros que de périr misérable.

Je ne sus que répondre à cet aveu à peine déguisé. Cinq courses, selon l'usage qui attribue deux courses à chacun des trois toreros, succédèrent à la première. Et cinq fois encore je le vis se remplir d'espoir par identification à la Bête, cinq fois se laisser envahir par une ardeur bestiale, cinq fois se presser contre moi et enfoncer ses doigts dans ma cuisse nue, cinq fois me mettre dans le plus grand embarras par cette invite plus ou moins volontaire mais en tout cas fort indiscrète, cinq fois ouvrir largement les narines comme s'il soufflait par des naseaux ; cinq fois ensuite se tasser sur lui-même, défait et méconnaissable, s'affaisser sur le gradin comme un ballon dégonflé.

Avec quelle fièvre heureuse il attendait que s'ouvre la porte du toril et que le taureau, libre et impétueux, se précipite à l'air libre et se rue comme un fou autour de l'arène ! Et de quel air abattu, ensuite, pendant que la foule, debout et en liesse, agitait des mouchoirs en l'honneur du torero vainqueur, il contemplait la bête morte et partageait l'humiliation du Minotaure traîné dans la poussière !

23

L'amour de la vie

Enfin, je n'y tins plus.

— Ce tableau que vous nous avez promis, quand le verrons-nous ?

Opposé à une coutume vieille de cinq siècles, en vigueur depuis que les hommes ont commencé à peindre, il ne révélait pas volontiers le sujet de ses tableaux. Dégagé de la croyance que le monde extérieur existe et ne dépend pas tout entier de la vision que chacun en a, il niait même qu'aucun tableau eût un *sujet*, à plus forte raison les siens. À ma grande surprise, il m'avoua la particularité de celui-ci. Ce serait un double portrait, de Françoise et de lui, « quelque chose d'inédit, d'absolument neuf, dans l'histoire du portrait ». L'absence de Françoise expliquait le retard. Il devait la peindre d'imagination, ou d'après des photos.

Intriguée, je voulus en savoir davantage.

— « Hâtez-vous lentement », a conseillé un de vos poètes.

Ce fut sa seule réponse, étonnante de la part d'un peintre dont la rapidité d'exécution est proverbiale. J'eus beau le questionner, il refusa de m'en dire plus.

Quelques jours plus tard, il alla chercher dans son atelier un livre qu'il me conseilla de lire, si je ne le connaissais pas. Un de ses livres préférés, me dit-il, au point qu'il l'avait jadis illustré. Il me mit entre les mains un élégant album édité par un autre de ses marchands, Ambroise Vollard. Le texte, d'une trentaine de pages, intitulé *Le Chef-d'œuvre inconnu*, était enrichi de douze gravures.

L'oncle Alphonse connaît très bien cette publication, qu'il a recensée dans son *Catalogue raisonné des opera et opuscula pour l'année 1931*. Quant à moi, je l'avoue, je n'avais jamais lu cette nouvelle.

— C'est l'histoire d'un peintre, un nommé Frenhofer, scrupuleux à l'excès, insatisfait et mécontent de tout ce qu'il peint. Au portrait auquel il est en train de travailler – le portrait de la femme qu'il aime –, il ne cesse d'apporter des modifications. Retranchant ici, effaçant là, il biffe à mesure ce qu'il peint, gomme ce qu'il vient d'ajouter. À force de retouches, de repentirs, de suppressions, il finit par détruire son œuvre. Sous les couches successives de peinture et l'accumulation des ratures, le visage et le corps de cette femme disparaissent. Il ne reste plus dans un coin de la toile que le bout d'un pied nu qui émerge d'un chaos de couleurs, « espèce de brouillard sans forme », dit Balzac.

La nouvelle m'avait été résumée par l'oncle Alphonse sur un ton leste et badin, comme si ce n'était qu'une bizarrerie amusante née d'une imagination de romancier. Saisie d'un pressentiment, j'emportai le volume dans le jardin. Mes craintes augmentèrent à mesure que j'avançais dans ma lecture. Frenhofer est décrit comme « une complète image de la nature d'artiste, de cette nature folle à laquelle tant de pouvoirs sont confiés, et qui trop souvent en abuse, emmenant la froide raison, les bourgeois et même quelques amateurs à travers mille routes pierreuses, où, pour eux, il n'y a rien ». La phrase me parut obscure, mais ce mot : *rien*, me frappa, comme un signe avant-coureur de gâchis.

Frenhofer, qui n'a jamais consenti à montrer son tableau à personne, justifie ainsi son refus – et cette fois je compris à quel point mon appréhension était légitime. « Comment ! Montrer ma créature, mon épouse ? Déchirer le voile sous lequel j'ai chastement couvert mon bonheur ? Mais ce serait une horrible prostitution ! Voilà dix ans que je vis avec cette femme, elle est à moi seul, elle m'aime. Ne m'a-t-elle pas souri à chaque coup de pinceau que je lui ai donné ? Elle a une âme, l'âme dont je l'ai douée. Elle rougirait si d'autres yeux que les miens s'arrêtaient sur elle. La faire voir ! Mais quel est le mari, l'amant assez vil pour conduire sa femme au déshonneur ? Née dans mon atelier, elle doit y rester vierge... »

Dix ans ! Le temps qu'il a vécu avec Françoise... Il ne nous montrera jamais son tableau, me disais-je.

Et le jour où il nous le montrerait, ne verrons-nous qu'un pied, dans un coin de la toile ? Une « espèce de brouillard », est-ce tout ce qui subsistera de Françoise ? Veut-il noyer son amour ? Renier ces dix ans ? Réduire Françoise à un pied ? La mutiler jusqu'à l'anéantir ? La tuer et se tuer avec elle ? Je ne réfléchissais pas qu'il avait illustré ce livre vingt ans plus tôt, bien avant qu'il n'eût rencontré Françoise. Je ne voyais que le double portrait en cours, son achèvement indéfiniment repoussé, je voyais le tableau en ruine, détruit à force d'être remanié. L'œuvre où il avait placé tous ses espoirs de consolation, peut-être de réconciliation, il était en train de l'annihiler, par haine d'avoir cru possible de reprendre leur vie de couple.

Balzac l'encourageait dans cette folie. « Veux-tu maintenant que je soumette mon idole aux froids regards et aux stupides critiques des imbéciles ? Ah ! L'amour est un mystère, il n'a de vie qu'au fond des cœurs, et tout est perdu quand un homme dit, même à son ami : Voilà celle que j'aime ! »

Admettons qu'un des moyens, pour un peintre, de retenir la femme aimée soit de la peindre et de se peindre à côté d'elle. Cependant, si le dépit qu'il a de son départ, la honte d'avoir été quitté, la détresse dont il est rongé l'obligent à détruire l'image à mesure qu'il la peint, l'échec de l'homme se doublera de celui de l'artiste. J'ai parlé plus haut de gâchis. Le mot me parut faible. Arrivée à la conclusion de la nouvelle, j'entrevis un désastre. Les dernières lignes me glacèrent. L'ami auquel Frenhofer a fini par découvrir son tableau, dont seul le pied a échappé à la destruction, revient le lendemain aux nouvelles. « Il apprit qu'il était mort dans la nuit, après avoir brûlé ses toiles. »

Le Chef-d'œuvre inconnu refermé sur cette conclusion, l'angoisse me saisit. La nuit précédente, un fracas de chaises renversées, des exclamations rageuses, des éclats de voix suraigus, des cris, suivis de la sortie précipitée de Jacqueline, m'avaient avertie qu'une nouvelle crise avait éclaté dans l'atelier. Je pris à part Totote et lui exposai les idées funèbres que m'avait suggérées le rapprochement entre la nouvelle de Balzac et le mystère dont il entourait son tableau commencé depuis plusieurs semaines et jamais terminé.

Totote feuilleta l'album, examina une à une les gravures, lut les phrases que j'avais soulignées. Pleine de bon sens comme à l'accoutumée, elle me fit observer une évidence qui m'aurait sauté aux yeux si j'avais été moins troublée : non seulement les gravures n'illustrent pas le texte, mais elles disent le contraire de ce que dit le texte, elles le prennent à rebours, elles en renversent le sens. Dans chacune de ces douze gravures, le peintre est assis devant la toile posée sur le chevalet, dans chacune il retouche le portrait du modèle féminin. Mais là s'arrête la similitude avec la nouvelle. Car au lieu du tableau dévasté de Frenhofer, celui de Pablo reste, de la première à la dernière gravure, empli à ras bord d'optimisme, de bonne humeur, de vitalité créatrice, d'énergie sexuelle. Figurée dans les douze images, sans ratures ni altérations, la femme se présente toujours en entier. Même dans la dernière gravure, son visage et son corps sont demeurés intacts, les seins et le sexe dessinés avec soin, jusqu'à la bosse et aux poils du pubis. Frenhofer-Pablo, lui-même représenté de pied en cap, la regarde avec amour, son visage reflète une gourmandise, une avidité extatiques, celui de la femme un abandon docile à la convoitise de son amant. Si cette dernière image indique quelque chose, c'est la permanence du couple, l'union des corps, réciproque et indéfectible, la solidarité charnelle qui lie le peintre à son modèle et le modèle à son peintre. De la première à la douzième gravure, la femme défile dans son intégrité, d'abord habillée, puis à demi nue, puis entièrement nue. L'évolution se borne à ce dévoilement, qui révèle par degrés et met dans une lumière de plus en plus indiscrète, éloquente et flatteuse les beautés de son corps.

Bien mieux : d'après son visage, rond, aux joues pleines, enveloppé d'une longue chevelure, ne pourrait-on reconnaître Françoise elle-même ? Elle semble froide et distante, mais la Françoise réelle a ce port lointain, cette fixité d'idole. Est-il impossible pour un créateur de voir en rêve, vingt ans avant qu'il ne la rencontre, la femme qu'il aimera ? Il y a dans ces gravures une générosité de courbes, une rondeur aimable, une harmonie paisible, une royauté de lignes, une assurance sereine, qui témoignent d'une inébranlable confiance. Le peintre lui-même se présente tantôt nu, tantôt vêtu d'un simple short. Hirsute, il n'a pas pris le temps de se raser, tant son modèle le fascine. L'ensemble compose une sorte d'hymne à l'amour physique. Nous sommes loin de la ruine mentionnée par Balzac, qui compare le pied rescapé de la catastrophe à « un morceau de quelque Vénus en marbre de Paros qui surgirait parmi les décombres d'une ville incendiée ». Ici, la beauté calme, olympienne de celle qui ressemble par avance à Françoise dément avec éclat ce nihilisme.

— Tu vois, ma pauvre Aimée, tu te fais du mauvais sang pour rien. D'un bout à l'autre du cycle de gravures, il a gardé la femme intacte, bien complète dans l'abondance de sa chair, inaltérée dans sa plénitude féminine, glorieuse dans son épanouissement. C'est volontairement qu'il a pris *le contre-pied* (pardonne-moi le jeu de mots), le contre-pied de la nouvelle. Pour lui, retoucher un tableau, ce n'est pas le détruire. Sa soif de perfection est toujours *positive*. S'il a accepté l'offre de Vollard, c'est pour désavouer Frenhofer, et réaffirmer sa foi dans le pouvoir de l'art. Illustré ainsi, l'album proclame son amour de la vie. Pourquoi douter que le double portrait annoncé reflète la même confiance ?

— Mais puisqu'il n'arrive pas à le finir ?

— C'est pour lui beaucoup plus qu'un tableau. C'est un objet magique, chargé de vertus extraordinaires, un talisman. Comprends-tu ? Il cherche à faire revenir Françoise par le moyen de la peinture. Et pour obtenir ce résultat, il pense qu'aucun soin n'est de trop. Françoise, tu la verras surgir à nouveau, rayonnante; disparue un moment dans la nue, elle reviendra sur terre par la grâce de son pinceau, comme une déesse descendue de son char.

— Tu parles sérieusement? Tu penses qu'elle peut revenir?

— C'est ce que nous saurons quand nous aurons vu le tableau.

— Mais pourquoi m'a-t-il donné à lire cette nouvelle?

— Eh! Il aime à t'affoler... C'est un esprit facétieux... Un de ces farceurs dont le premier modèle, *el burlador de Sevilla*, a été andalou, ne l'oublie pas.

24

Le collier d'or

Je m'étais promis de tout dire... Mais là-dessus, non... Pas question.

Jacqueline ayant dû retourner à Vallauris pour quelques jours, la paix était revenue dans l'hôtel. Un soir, pendant que la ville s'endormait, je vérifiais les comptes. Totote avait transporté son lit à l'autre bout de la maison, dans la chambre des enfants qui souffraient d'un début d'insolation. Paloma avait quarante de fièvre, Claude réclamait sa mère. Rosita et l'oncle Alphonse s'étaient isolés après dîner dans un coin du salon pour faire une crapette, sur la demande de Rosita, la pauvrette, pleine encore d'illusions, et confiante qu'un aparté sous la lampe seconderait ses ambitions matrimoniales.

Puis, l'oncle Alphonse déboucha une bouteille afin de prolonger la soirée avec Paulo qu'il essayait de réconforter, avec l'arrière-pensée de lui soutirer quelque information inédite, que le fils aurait recueillie de la bouche de sa mère, sur les « années russes » de Pablo. Le jeune homme ne se console pas d'être en butte à l'hostilité permanente et incompréhensible de son père. Chaque jour augmente sa souffrance. Je crains qu'il ne tente un geste de désespoir. Au piano, il ne joue plus que les pièces les plus torturées de Chostakovitch, écrites aux jours les plus noirs de la répression.

Quant à Pablo, retranché dans son atelier, il peignait ou écrivait, selon son habitude, jusqu'aux « petites heures », *piccole ore*, savoureuse expression que j'avais apprise dans le roman de Moravia. La journée, qu'un soleil éclatant avait favorisée, finissait en douceur dans le calme nocturne.

Quand tout à coup… La mine abattue de Pablo, son humeur sombre et résignée, ce n'était donc qu'une posture ? Un des tours imaginés par le *burlador* de Malaga ? Ce repli sur soi, cette affectation de solitude, cette ostentation de malheur, j'avais donc été assez naïve pour les prendre pour argent comptant ! Stupides que nous avons tous été, de croire la Bête effondrée, le Minotaure fini… Toujours est-il que… Non, décidément, je ne laisserai pas une trace écrite de ce qui est arrivé. Ma mère me le pardonnerait peut-être, mais mon beau-père, imbu comme il est des préjugés de sa caste, ne supporterait pas cet aveu. Il le prendrait pour un affront personnel, une tache indélébile sur le nom plusieurs fois séculaire des Sorrède.

Oh ! dans quel pétrin l'obscurité a-t-elle failli me mettre… Cette vieille baraque dont les planchers craquent, de quelque précaution qu'on s'entoure…

Ces meubles auxquels on se cogne, faute de les apercevoir à temps... De quoi éveiller les soupçons de la maisonnée et la voir accourir... L'affaire portée sur la place publique... Le scandale retentir d'un bout à l'autre de la ville... En vérité, ce n'est pas tant la famille et la belle-famille que j'ai l'intention de ménager, ni Paul, lequel d'ailleurs n'est pas si pointilleux sur l'honneur conjugal, comme je l'ai suggéré plus haut pendant la corrida... Depuis combien d'années faisons-nous chambre à part ? Il y a longtemps que le serment prononcé devant l'autel n'est plus entre nous qu'une convention périmée. C'est pour moi-même que je me contrains au silence. Mentionner la chose noir sur blanc ? Je tremble à la seule idée de l'évoquer. Quelle histoire ! Était-ce subi ? Consenti ? Ou même volontaire de ma part ? Désiré, convoité en secret ? Vrai, j'étais toute molle, au moment où j'aurais pu encore m'opposer... Toute molle, engourdie et béante... Femmes... Femmes... Femmes... Toutes les mêmes... comme il l'a dit un jour.

Au fait, je crois qu'une personne au moins n'est pas dupe. Totote est entrée ce matin, comme chaque jour, dans ma chambre. Elle m'apportait la robe que je lui avais demandé de repasser. Elle l'a déposée en travers du lit et, sur la vue de quelque chose sur ce lit qui l'a fort surprise, a eu un mouvement de recul. Je l'observais dans la glace devant laquelle j'étais en train de me peigner. Elle a quitté aussitôt la chambre, sans desserrer les dents, contrairement à son habitude de bavarder quelques instants. Le reste de la journée, il m'a semblé qu'elle me battait froid, sans oser me dire ce qu'elle avait sur le cœur. J'ai compris ensuite qu'elle luttait en elle-même entre la sincérité qui est le fond de sa nature et la crainte de m'offenser.

Enfin :

— Tiens ! a-t-elle insinué, je ne savais pas que tu détenais un bijou d'un tel prix.

— Moi ?

— Pourquoi ne le portes-tu jamais ?

— Quel bijou ?

— Mais ce collier abandonné sur ton lit, ce matin…

— Ah oui…

— Bravo, ma chère ! Il n'y a pas lieu d'en rougir… Seulement, sois plus prudente à l'avenir… D'autres yeux que les miens pourraient être surpris, voire choqués… Un collier d'une si grande valeur…

Je l'avais laissé traîner entre les deux oreillers, au lendemain de cette nuit que je ne raconterai pas. Vais-je aller le jeter dans la Têt, pour supprimer un indice aussi compromettant ? Il est si beau, fait d'écailles d'or comme en portaient les Égyptiens… On le remue à peine, qu'il jette des éclats de lumière… Le fermoir à tête d'Anubis serait authentique, il proviendrait d'une tombe de la Vallée des Rois… Et puis non, quelle honte y a-t-il dans cette aventure, alors que tant d'autres se vantent d'y être passées avant moi ? Mon tour était venu, voilà tout… Et tant mieux si le déroulement de l'affaire a dépassé ses espérances. La *si grande valeur* de ce collier, comme dit Totote, atteste l'étendue d'un bonheur auquel il ne s'attendait plus. Le cadeau est à la mesure des deux victoires qu'il a remportées, en moins d'une demi-heure. Un exploit insensé, à son âge, dangereux pour son cœur, quoi qu'il en dise… Je vais le cacher au fond d'un tiroir, enfermé dans une enveloppe qui portera cette suscription : « À n'ouvrir que vingt-cinq ans après ma mort. »

Alors, ce sera de l'histoire, et ce qui aujourd'hui me vaudrait l'opprobre de la société perpignanaise, deviendra pour ces béotiens un sujet de fierté.

25

Jacqueline

Jacqueline, nous avons appris à l'apprécier, dans une circonstance survenue peu après son retour de Provence. Son profil altier perché sur un long cou, ses pommettes hautes, ses clavicules saillantes, son allure de sphinx, ses cheveux serrés dans un chignon étroit, ne nous avaient pas, au début, parlé en sa faveur. Nous les prenions, ces traits physiques, pour des traits de son caractère moral : hauteur, âpreté, suffisance, prétention. J'étais prévenue contre une froideur si peu méridionale. Pas une rondeur dans son visage, pas un atome de chair inutile : tout est net et d'équerre. Puis, son insistance à frapper à la porte de l'atelier, malgré les rebuffades subies, nous avait déplu. Ah ! cette timidité initiale, cet air de ne pas se mêler des affaires de la famille, ce n'était donc que ruse ? Avait-elle tout calculé ? Feint, pour mieux nous tromper, l'indifférence et le détachement ?

« L'intruse », comme l'avait tout de suite baptisée Paulo, « l'intrigante », comme Totote et moi l'appelions ; une rouée, qui mettait à profit l'absence de Françoise pour chercher à prendre sa place. Pablo l'avait connue à Vallauris, commise dans un magasin de céramique, peu instruite, jolie mais sans esprit, sans conversation, sans humour, *brunette piquante* comme il y en a tant sur la Côte d'Azur, et n'ayant d'autre titre pour l'intéresser que l'admiration éperdue qu'elle avait pour ses poteries – admiration si exagérée qu'elle ne pouvait pas ne pas sembler suspecte, à lui comme à nous.

Une semaine après son retour, au lendemain d'une des violentes scènes qui avaient recommencé entre eux dans l'atelier, il lui intima l'ordre de plier bagage et de quitter la maison. Qui aurait imaginé un dénouement aussi abrupt ? Paul n'essaya pas d'intervenir. Elle obtempéra, fit ses valises mais resta à Perpignan. Raymond, qui l'avait prise en amitié, lui fournit une liste de pensions et d'hôtels bon marché. La modestie de ses ressources l'obligea à choisir un établissement de troisième catégorie, *Au Sanglier des Albères*, rue de la Cloche d'or, où descendent les commis voyageurs des petites et moyennes entreprises, les jeunes gens qui randonnent sac à dos, les amateurs de chasse attirés par l'enseigne.

Le chic, le courage, la force de caractère avec lesquels elle supporta cette humiliation m'aidèrent à revenir sur mon préjugé. Elle aurait pu nous quitter à la sauvette, honteuse d'être chassée. Elle tint à nous saluer dans le hall, tous, à tour de rôle, sans excepter les domestiques, à qui elle laissa des pourboires. C'est lui dont la grossièreté nous déconcerta. « Il a passé les bornes », telle fut l'opinion générale. Un vrai goujat, selon moi. Seul Paulo exultait. Double victoire pour lui : l'intruse débarrassait le plancher, son père dégringolait dans notre estime. Au moment de sortir, elle souleva ses deux valises et nous regarda droit dans les yeux, pour nous prendre à témoin qu'elle n'avait laissé échapper aucune plainte ni protesté d'aucune façon, si brutalement qu'on l'eût éconduite.

La rue de la Cloche d'or est une traverse de la rue de l'Ange. Aussi m'arrivait-il souvent de la rencontrer. Bien qu'elle eût peu de chances de le croiser, car il sortait rarement de chez nous, et presque toujours en voiture, je ne l'aperçus jamais que bien coiffée, en vêtements seyants et de bon goût, à défaut de l'élégance qui n'était pas dans ses moyens. Pas une fois elle ne se laissa voir sans maquillage ou en tenue négligée. Je la savais très triste, mais la même fierté qui me déplaisait quand elle habitait avec nous lui dictait maintenant de ne paraître en public que gaie, allante, mise avec coquetterie. Nous aimons, Totote et moi, les personnes qui gardent leur chagrin pour elles, sans le faire peser sur autrui.

Il est évident qu'elle cherchait comment lui plaire à nouveau, pour le cas d'une rencontre inopinée dans la rue. Mais qu'elle eût pour lui une vraie et sincère passion, j'en vins à l'admettre, à la suite d'une découverte qui me bouleversa. Sans autre espérance que d'entrevoir son ombre, elle se postait chaque nuit sous ses fenêtres. Adossée aux volets fermés de la boutique de Raymond, figée dans une muette adoration, impassible pendant des heures, les yeux levés vers la silhouette qui allait et venait derrière les rideaux, elle ne bougeait que du peu nécessaire pour éviter l'ankylose. Ravalant son orgueil, elle attendait pour s'en aller qu'il eût éteint les lumières, moment qui ne se produisait que fort avant dans la nuit. On percevait en elle une telle beauté intérieure, une telle intensité de sentiment, une force d'abnégation si hors du commun, que, malgré l'immobilité bizarre de cette faction nocturne, nul n'osa jamais lui adresser une parole inconvenante. Elle ne subit d'autre avanie que les murmures ironiques de quelques piétons attardés qui se poussaient du coude et la montraient du doigt en voyant cette espèce de statue.

Une fois que la pluie tombait à verse, j'ouvris le portail et lui dis de venir se mettre à l'abri. Ayant accepté de me suivre dans la cuisine, elle but une tasse de thé. Tremblante de froid, trempée, elle prit des nouvelles des enfants, demanda si le fameux tableau avançait. J'eus peur qu'elle ne me priât d'intercéder auprès de Pablo. Elle s'en alla sans avoir prononcé son nom ni dit un mot à son sujet.

Paulo, qui la haïssait par principe, reconnut qu'elle valait peut-être mieux que toutes celles qu'il avait eues pour « belles-mères ».

En réalité, nous avons tous été dupes. Par un trou aménagé dans un des rideaux, il observait fort bien, chaque nuit, le manège de Jacqueline, ses longues stations par tous les temps, son entêtement à l'adorer. Le stoïcisme de son désintéressement l'épatait sans l'attendrir. S'il n'éteignait les lumières que fort tard, c'était pour vérifier jusqu'où allait son dévouement. Son renvoi, son bannissement, cette muflerie, tout cela n'était que ruse pour la mettre à l'épreuve. Olga, Dora, Françoise l'avaient déçu et éloigné provisoirement des femmes. Jacqueline, au cas où il commencerait une vie de couple avec elle, serait la dernière. À son âge, il ne se faisait plus d'illusion. Jacqueline était son ultime chance, il voulait donc savoir si une jeune femme pouvait l'aimer vraiment et lui être fidèle, malgré les inconvénients de la vieillesse. La méthode était sans doute cruelle. C'est que la priorité, à ses yeux, allait à sa peinture : les centaines de tableaux qu'il avait encore en tête, comment en venir à bout sans une femme à ses côtés ? Il avait besoin d'une compagne, attentive et prévenante, qui l'aiderait dans sa vie quotidienne, pour les affaires courantes, les papiers à remplir, les factures à régler, les insomnies à consoler – sans compter les maladies, les infirmités éventuelles et l'assistance médicale dont il bénéficierait sans avoir à payer une infirmière –, mais à condition de ne pas être importuné par des exigences personnelles qui l'obligeraient à des compromissions nuisibles à son travail.

Fidèle chaque nuit au poste, bien qu'elle n'attendît rien de cette dévotion, Jacqueline eût attendri une pierre. Une Espagnole, me dit Totote, n'aurait jamais supporté d'être traitée avec ce mépris. Les heures s'écoulaient sans qu'elle changeât de place. L'automne arriva plus vite cette année. À force de rester immobile dans la nuit fraîche, elle tomba malade. Il la voyait tousser (elle toussait dans sa main, craintivement, comme s'il avait pu l'entendre !), mais, au lieu de se laisser fléchir, il faisait exprès de retarder le plus possible, jusqu'aux *piccolissime ore*, le moment d'éteindre les lampes.

Jacqueline fit venir d'Antibes la fille qu'elle avait eue de son mari divorcé. Elle dut partager avec l'enfant sa chambre d'hôtel de dix mètres carrés. Cathy me plut tout de suite, par une silhouette gracieuse, des gestes nets et précis, des mouvements respirant la franchise. Vifs mais sans hardiesse, ses yeux noirs brillaient dans un visage précocement creusé. Habituée à être seule et à vivre indépendante, elle sautillait gaiement dans la rue, sans importuner sa mère quand celle-ci bavardait avec moi. Sa robe trop lâche soulignait sa maigreur et leur pauvreté. De la place Arago, nous descendions la Basse, par le quai de la rive gauche. Au moment de choisir une glace chez Espy, elle bégayait, seul indice qu'elle cachait en elle un fond de malheur. J'eus l'idée de l'emmener un après-midi chez nous jouer et goûter avec Paloma et Claude. Lorsqu'il apprit de la bouche de ses enfants, qui la lui annoncèrent tout joyeux, l'arrivée d'une nouvelle camarade, Pablo me rabroua pour cette initiative et m'interdit de recommencer.

Je m'étais presque décidée à passer outre à ses ordres et à inviter de temps en temps Jacqueline et sa fille à déjeuner dans la cuisine, quand il nous prit de court une fois de plus. Un matin, alors qu'il parcourait avec moi le boulevard Wilson à bord de l'Hispano-Suiza conduite par Raymond, il aperçut Jacqueline qui marchait sur le trottoir, tenant sa fille d'une main, l'autre bras chargé de paquets. Il fit arrêter la voiture, se pencha par la portière et les invita à monter, d'une voix si cordiale et encourageante qu'elle crut d'abord qu'il plaisantait. Mais non, l'épreuve était terminée. Il aurait auprès de lui une servante, une vestale, confite en piété amoureuse, qui se contenterait de se tenir à sa disposition, sans rien exiger pour elle. Il me poussa sur le strapontin pour la faire asseoir à côté de lui et étaler ses paquets sur la banquette.

Méfiante, Jacqueline se rencognait.

— Pauvre chérie, lui disait-il, comme tu as maigri ! Mais voyez-moi ça ! On ne t'a donc pas fait manger à ta faim ? Montre-moi où tu as habité tout ce temps-là, que je me rende compte de ce que tu as souffert.

Il voulut monter à sa chambre, se cogna dans l'escalier étroit, inspecta les lieux, souleva un coin du linoléum décollé, arracha les restes de papier peint qui pendaient au-dessus du lavabo, répétant, chaque fois qu'il se heurtait au lit :

— Ce n'est pas possible ! Ce n'est pas possible ! Et en plus avec une enfant ! Comment t'appelles-tu ? Cathy ? Laisser s'étioler une aussi jolie petite fleur ! On n'a pas idée d'être aussi chiens que ces tauliers ! Pourquoi n'ai-je pas été prévenu ?

Il dit à Jacqueline de rassembler ses affaires et de le suivre. Il s'empara lui-même de ses valises et les porta jusqu'à la voiture.

— Vous enverrez la note de Madame à l'hôtel de Sorrède, cria-t-il à la jeune fille de la réception.

Raymond nous déposa rue de l'Ange. Pablo ordonna au portier de monter les deux valises dans l'atelier.

— Elle habitera désormais avec moi. Vous installerez Cathy dans la chambre des enfants.

Ainsi prit fin l'épisode le plus déconcertant de son séjour à Perpignan. Elle avait dans les vingt-cinq ans, lui soixante-treize. Presque un demi-siècle les sépare. Dès le lendemain, me dit Totote, il se mit à la peindre et à la dessiner avec fureur, dans toutes les poses possibles, habillée ou en costume de bain, coiffée ou en cheveux, assise ou couchée, en Tsigane, en Turque, en Catalane, en bayadère – mais le plus souvent telle que Dieu l'avait faite. Il se remit aussi à la poterie et à la sculpture. Tout lui était bon, la terre cuite, le bois, le métal, un bout de tôle, pour l'avoir, me dit-il, *en relief.*

Le cou allongé, les traits aigus de Jacqueline se prêtent particulièrement bien à sa manière de ne représenter un corps que par son ossature, un visage que par ses arêtes. Mais un indice plus probant me confirme que Jacqueline est la femme qui lui convient : son regain de puissance créatrice, depuis qu'elle est installée chez lui. Ce renouveau spectaculaire tranche avec tant d'éclat sur l'essoufflement de son inspiration pendant les derniers mois qu'il a vécus en compagnie de Françoise !

26

Le tableau

La métamorphose était si évidente, qu'aucun de nous ne fut étonné de l'entendre nous dire, un soir pendant le dîner, assis auprès de Jacqueline dont il entourait les épaules, qu'il avait terminé son tableau, et qu'il nous le montrerait le lendemain. Le Minotaure ayant recouvré sa vigueur, l'énergie était revenue au peintre ; et l'œuvre, laissée si longtemps en suspens, bénéficiait de la résurrection de la Bête.

La postérité y reconnaîtra un de ses chefs-d'œuvre, j'en suis persuadée. L'émotion absente de ses autres tableaux ajoute à celui-ci, fruit d'une crise sans précédent, la vibration d'une expérience personnelle. Une grande ombre noire, étirée en hauteur, se dresse au premier plan, présence anguleuse et funèbre qui couvre d'obscurité la moitié du tableau. À deux bras qui pendent sur les côtés, à une tête en forme de boule, on reconnaît dans cette ombre un corps vu de dos. Aucun détail anatomique, aucune variation de couleur. Le noir qu'il nous avait fait acheter boulevard Wilson, opaque, de cette opacité bitumineuse qui interdit toute caractérisation, est appliqué uniment, avec une minutie tragique. Ce pourrait être aussi bien un bout de bois, un tronc d'arbre trempé dans de la suie. Ou mieux : une absence d'objet identifiable, un absolu de non-être. C'est lui-même, Pablo, annihilé par le départ de Françoise. Les larmes d'un amant congédié prouvent moins son désespoir que cet anéantissement complet.

Au second plan, quand on s'approche, on aperçoit, perpendiculaire à l'ombre, ce qui ressemble à une femme, couchée de tout son long sur un lit. Elle est dévêtue, blanche (ou plutôt non peinte, laissée de la couleur de la toile), à peine dessinée par un trait qui la cerne. La tête est minuscule, les bras entourent la tête. Un point noir en guise de nombril, les seins marqués par un arc et les tétons par une étoile, voilà les seuls éléments féminins dans ce corps aplati.

Les deux plans du tableau se distinguent nettement : l'ombre de l'homme est éloignée du corps de la femme et l'observe à distance. Il la regarde *en train de s'éloigner* : d'où la disproportion entre son propre corps et celui de la femme. L'ombre est haute et grande, d'un seul bloc et d'une seule nuit comme le chagrin qui l'a rendue opaque. La femme est diminuée et lointaine : il ne reste d'elle que ses deux seins et sa tête minuscule. Elle n'était donc qu'une femelle, avec un minimum de cerveau ? Vengeance ? N'est-ce pas plutôt une infinie tristesse qui se dégage de ce double portrait ? *La personne que j'ai crue femme n'était qu'une forme, creuse, vide, interchangeable – une forme alitée à remplir, selon l'affreux calembour. Elle ne mérite que le bout de toile que j'ai laissé vide, en blanc. Adieu. Je n'ai ni à regretter son départ, ni à me confondre en nostalgie.*

Pour nous tous qui le contemplions, le contenu symbolique du tableau était facile à déchiffrer. On ne prend pas congé aisément de dix ans de vie de couple, on ne renie pas à la légère dix ans de bonheur, mais le seul fait de les mettre à distance indique qu'on se tourne vers l'avenir. Mélancolie de l'échec, ou soulagement d'un passé révolu ? Les deux à la fois. Les moralistes ont omis de s'interroger sur la rapidité avec laquelle deux êtres qui ont partagé longtemps leurs joies et leurs peines peuvent devenir indifférents l'un à l'autre. Cette prestesse à les oublier n'a-t-elle pas son explication dans le réseau d'accommodements plus ou moins volontaires, de concessions réciproques, de lassitudes accumulées, qui a étouffé peu à peu la vivacité des émotions ? Un tissu qui s'est défait tout seul n'a pas besoin d'être arraché. *Nous ne sommes plus rien l'un pour l'autre : je ne suis plus que l'ombre de celui que tu as aimé, si tu m'as aimé ; tu n'es plus pour moi que la paire de seins et le ventre avec qui j'ai couché.*

Pablo se séparait de Françoise sans cris, sans drame, par une mise à l'écart silencieuse. Il mettait un point final à leur liaison par *la simple force d'un geste pictural*, comme l'écrirait l'oncle Alphonse dans son style pour une fois juste.

Les quelques taches de couleur – du bleu, du marron – autour de la femme, des éléments d'ameublement dans le fond du tableau – une cheminée, une étagère – esquissent sans doute le décor de ce qu'était leur chambre à Paris. Deux seuls détails nous intriguèrent : en haut à droite, sur la cheminée, un vase à anse, pansu, du type de ces amphores déterrées par les archéologues ; en haut à gauche, sur l'étagère, le modèle réduit d'une charrette peinte tirée par une mule.

— Souvenirs de Sicile, grommela Pablo avant de remonter à l'atelier auprès de Jacqueline.

Or, il n'est jamais allé en Sicile, ni seul ni avec Françoise. Que signifie donc la présence de ces deux faux souvenirs, au moment de l'adieu suprême, sinon la volonté de dénier à Françoise l'existence d'un passé commun ? Ils avaient séjourné à Antibes et à Vallauris, voyagé quelquefois ensemble, mais jamais en Italie. Parmi les jouets de Paloma et de Claude ne figure aucune charrette sicilienne. Ni cette charrette ni l'amphore ne correspondent à des émotions qu'il ait partagées avec Françoise.

Une fois de plus, chez Pablo, a triomphé l'amour de la vie.

— S'il a inventé des accessoires fictifs pour leur chambre à coucher, dis-je à Totote, c'est qu'il ne veut avoir aucune mémoire de ce qu'il a pu faire avec elle, aucune mémoire de ce qu'elle a été pour lui. Il nie que cette liaison ait eu la moindre importance, au regard de l'immense champ d'aventures qui s'ouvre pour l'homme libre qu'il est redevenu. Il refuse d'être lesté d'un passé qui ne serait pour lui qu'un poids mort.

Elle me regarda dans les yeux, comme si elle me sommait de ne pas tricher avec ma conscience et de me rappeler un événement qui avait sinon déclenché du moins favorisé la renaissance de Pablo ; puis, portant la main à son cou, dessina un mouvement circulaire d'une lenteur si bizarre, que je me sentis forcée de faire le même geste autour du mien. Une seconde fois (mais comment pouvait-elle savoir qu'il y avait eu deux fois ?), elle dessina sur sa poitrine un demi-cercle et m'obligea à l'imiter. Deux fois de suite, sous son regard qui ne me lâchait pas, je dus passer ma main autour de mon cou, là où s'étaient posées les écailles d'or du collier.

— Allons, dit-elle, n'y es-tu pas pour quelque chose ?

Kalat, 3 juillet 2017 – 2 septembre 2018

Table

DU MÊME AUTEUR *(suite)*

JÉRÉMIE ! JÉRÉMIE !, 2006, Grasset et Le Livre de Poche.
PLACE ROUGE, 2008, Grasset.
PRESTIGE ET INFAMIE, 2010, Laffont, « Bouquins ».
PISE 1951, 2010, Grasset et Le Livre de Poche.
ON A SAUVÉ LE MONDE, 2014, Grasset et Le Livre de Poche.
LA SOCIÉTÉ DU MYSTÈRE, 2017, Grasset et Le Livre de Poche.
OÙ LES EAUX SE PARTAGENT, 2018, Philippe Rey.

Opéra

LE RAPT DE PERSÉPHONE, 1987, Dominique Bedou. Musique d'André Bon, CD Cybelia 861.

Voyages

MÈRE MÉDITERRANÉE, 1965, Grasset et Le Livre de Poche. Nouvelle édition augmentée de photographies de Ferrante Ferranti, 2000.
LES ÉVÉNEMENTS DE PALERME, 1966, Grasset.
AMSTERDAM, 1977, Le Seuil.
LES SICILIENS, en collaboration avec Ferdinando Scianna et Leonardo Sciascia, 1977, Denoël.
LE PROMENEUR AMOUREUX, *De Venise à Syracuse*, 1980, Plon et Presses Pocket.
LE VOLCAN SOUS LA VILLE, *Promenades dans Naples*, 1983, Plon.
ETERNA SICILIA (photographies de Luigi Mormino), 2000, Bruno Leopardi, Palerme.

SENTIMENT INDIEN, 2005, Grasset.
IN VOLO SULLA SICILIA (photographies de Luigi Nifosi), 2008, Arsenale Editrice, Vérone.
RÊVERIES ITALIENNES (photographies de Joël Laiter), Imprimerie nationale, 2012.

Voyages avec photographies de Ferrante Ferranti

LE BANQUET DES ANGES, *L'Europe baroque de Rome à Prague*, 1984, Plon.
LE RADEAU DE LA GORGONE, *Promenades en Sicile*, 1988, Grasset et Le Livre de Poche.
AILES DE LUMIÈRE, 1989, François Bourin.
SÉVILLE, 1992, Stock.
L'OR DES TROPIQUES, *Promenades dans le Portugal et le Brésil baroques*, 1993, Grasset.
SEPT VISAGES DE BUDAPEST, 1994, Corvina/IFH.
LA MAGIE BLANCHE DE SAINT-PÉTERSBOURG, 1994, Découvertes Gallimard.
PRAGUE ET LA BOHÊME, 1994, Stock.
LA PERLE ET LE CROISSANT, 1995, Plon, « Terre humaine », et Terre humaine Pocket.
SAINT-PÉTERSBOURG, 1996, Stock.
RHAPSODIE ROUMAINE, 1998, Grasset.
PALERME ET LA SICILE, 1998, Stock.
BOLIVIE, 1999, Stock.
MENTON, 2001, Grasset.
SYRIE, 2002, Stock.
ROME, 2004, Philippe Rey.
SICILE, 2006, Actes Sud/Imprimerie nationale.
VILLA MÉDICIS, 2010, Philippe Rey.
PALAIS SURSOCK, 2010, Philippe Rey.

NAPLES, 2011, Imprimerie nationale.
BAROQUE CATALAN, 2011, Herscher.
TRANSSIBÉRIEN, 2012, Grasset et Le Livre de Poche.
SIBÉRIES, 2013, Imprimerie nationale.
L'ALGÉRIE ANTIQUE, 2013, Actes Sud.
LE PIÉTON DE ROME, 2015, Philippe Rey.
MÉDITERRANÉES, 2015, Imprimerie nationale.
ADIEU, PALMYRE, 2016, Philippe Rey.
FLORENCE, 2016, Philippe Rey.
VENISE, 2018, Philippe Rey.

Essais

LE ROMAN ITALIEN ET LA CRISE DE LA CONSCIENCE MODERNE, 1958, Grasset.
L'ÉCHEC DE PAVESE, 1968, Grasset.
IL MITO DELL'AMERICA, 1969, Edizioni Salvatore Sciascia, Rome.
L'ARBRE JUSQU'AUX RACINES, *Psychanalyse et création*, 1972, Grasset et Le Livre de Poche.
EISENSTEIN, *L'Arbre jusqu'aux racines II*, 1975, Grasset et Ramsay-Poche Cinéma.
LA ROSE DES TUDORS, 1976, Julliard. Nouvelle édition augmentée, 2008, Actes Sud.
INTERVENTI SULLA LETTERATURA FRANCESE, 1982, Matteo, Trévise.
LE RAPT DE GANYMÈDE, 1989, Grasset et Le Livre de Poche.
LE MUSÉE IDÉAL DE STENDHAL, en collaboration avec Ferrante Ferranti, 1995, Stock.
LE MUSÉE DE ZOLA, en collaboration avec Ferrante Ferranti, 1995, Stock.

LE VOYAGE D'ITALIE, *Dictionnaire amoureux* (photographies de Ferrante Ferranti), 1998, Plon et Tempus.
LE LOUP ET LE CHIEN, *Un nouveau contrat social*, 1999, Pygmalion.
LES DOUZE MUSES D'ALEXANDRE DUMAS, 1999, Grasset.
LA BEAUTÉ, 2000, Desclée de Brouwer.
ERRANCES SOLAIRES (photographies de Ferrrante Ferranti), 2000, Stock.
L'AMOUR QUI OSE DIRE SON NOM, *Art et homosexualité*, 2001, Stock.
DICTIONNAIRE AMOUREUX DE LA RUSSIE, 2004, Plon.
L'ART DE RACONTER, 2007, Grasset et Le Livre de Poche.
DISCOURS DE RÉCEPTION À L'ACADÉMIE FRANÇAISE ET RÉPONSE DE PIERRE-JEAN RÉMY, 2008, Grasset.
DICTIONNAIRE AMOUREUX DE L'ITALIE, 2 volumes, 2008, Plon.
L'ÂME RUSSE, 2009, Philippe Rey.
AVEC TOLSTOÏ, 2010, Grasset et Le Livre de Poche.
RUSSIES, 2010, Philippe Rey.
DICTIONNAIRE AMOUREUX DE STENDHAL, 2013, Plon.
ACADÉMIE FRANÇAISE (photographies de Ferrante Ferranti), 2013, Philippe Rey.
RÉPONSE AU DISCOURS DE RÉCEPTION DE DANIÈLE SALLENAVE À L'ACADÉMIE FRANÇAISE, 2013, Gallimard.
AMANTS D'APOLLON, 2015, Grasset.
CORRESPONDANCE INDISCRÈTE (avec Arthur Dreyfus), 2016, Grasset.
STENDHAL, 2018, Buchet-Chastel.

Traductions

UNE ÉTRANGE JOIE DE VIVRE ET AUTRES POÈMES, de Sandro Penna, 1979, Fata Morgana.

L'IMPRÉSARIO DE SMYRNE, de Carlo Goldoni, 1985, Éditions de la Comédie-Française.

POÈMES DE JEUNESSE, de Pier Paolo Pasolini, 1995, Gallimard.

POÉSIES, de Sandro Penna, 1999, Grasset, « Les Cahiers rouges ».

MONGOLIE, d'Alberto Moravia, 2015, Grasset (in *Allant ailleurs*).

Cet ouvrage a été imprimé
par CPI BRODARD & TAUPIN
pour le compte des éditions Grasset
à La Flèche (Sarthe)
en janvier 2019

Composition Maury-Imprimeur

Grasset s'engage pour
l'environnement en réduisant
l'empreinte carbone de ses livres.
Celle de cet exemplaire est de :
450 g Éq. CO_2
Rendez-vous sur
www.grasset-durable.fr

N° d'édition : 20753 – N° d'impression : 3031610
Dépôt légal : février 2019
Imprimé en France